青春ノ帝国
石川宏千花
あすなろ書房

青春ノ帝国

イラストレーション／植田たてり
ブックデザイン／城所潤+大谷浩介(ジュン・キドコロ・デザイン)

さよならせんせぇ、という明るい声が、廊下で反響している。

はいさようならぁ、と答えた声は、同期の吉井先生のものだろうか。

――寄り道しないで帰れよー。

――先生もねー。

机の上に広げた校内新聞に落としていた視線をふとあげれば、窓の外はもう、うっすらと暗い。

どこからか虫の鳴き声が聞こえてはくるものの、夏の終わりの午後六時すぎだ。

蛍光灯の白い光の下、職員室に残っているのはわたしひとりきりだった。

人けがないとこんなにも広く感じるのか、と見慣れた眺めになんとはなしに見入っていると、

「あれっ、関口先生、まだいらっしゃったんですか？」

いきおいよく戸が横に引かれるのと同時に、よく通る吉井先生の声が飛びこんできた。

戸口のほうに向けて、背もたれつきの回転椅子をくるりと回す。

「そろそろ帰ろうかな、と思ってたところです」

吉井先生は、顧問をつとめているサッカー部の練習のあと、そのまま職員室に直行してきたらしく、ひざまでまくったジャージにTシャツ一枚といういで立ちで、顔中から汗をしたたらせていた。

「なーんだ、オレのこと待っててくれたんじゃないんですか」

「なーにいってるんですか」

同期の上に同年齢、いまだにそろって独身ということもあって、おたがいに気安く軽口をたたける相手だ。

わたしは机に向きなおると、帰り支度をはじめた。今晩中に目を通してしまわなければならない資料をバッグの中に入れ、重要書類の入った引きだしに鍵をかける。

忘れものはないか、と机の上を見回して、さあ帰ろう、と立ちあがったとき、電話が鳴った。

「あ、オレ出まーす」

わたしが手を伸ばすより先に、吉井先生はもう、自分のデスクで受話器をにぎっていた。

「はーい、イッチュウでーす」

何度注意されても吉井先生は、頭につく地域名をすっ飛ばし、第一中学校さえも省略して電話に出る。

「はい、え？　関口ですか？　おりますが。ええ、はい、ただいま替わります」

バッグのストラップを肩にかけ、戸口に向かおうとしていたわたしは、足を止めた。つらねた机で作られた通路の向こう側に、吉井先生の顔をさがす。デスクに背中を向けるかっこうで、机上に浅く腰かけていた吉井先生と目が合った。内線回しますよ、と目顔でいって、吉井先生は受話器をおろした。

わたしは急いで自分の席までもどると、点滅している内線ランプの上に人さし指を置いた。押そうとした瞬間、相手が誰か聞いていなかった、と思い、吉井先生、と声をあげる。

「どなたですか？」

「あ、すいません、いい忘れてました。奈良さんという方」

奈良？

わたしは絶句し、内線ランプの上から指を離した。

奈良――とは、あの奈良比佐弥のことだろうか。

……まさか。

でも、わたしにはほかに奈良という名字の知人はいないし、これまで受けもってきた生徒の中にも、その名字の子どもはいなかった。

「あれ？　関口先生？　内線、そっちいってませんか？」

吉井先生が、書類の山の向こうで首を伸ばしている。

「いえ、きてます。だいじょうぶです」

答えた声も、ボタンを押す指も、ひどく震えてしまっていた。受話器に口を寄せる前に、わたしは小さく深呼吸をした。

「……お待たせしました。関口です」

一瞬の間を置いて、

「突然お電話して申し訳ありません。中学校の二年時に同じクラスだった奈良です。覚えてますか」

関西弁を無理して関東言葉に直してしゃべるこのイントネーション。

まちがいない。あの奈良くんだ。

「……奈良くん？」

「よかった、覚えててくれて。お久しぶりです」

沸騰している頭の中でも、年数の勘定だけは馬鹿みたいに素早くできてしまう。二十三年ぶりだ。十四歳だったあの夏の終わりからかぞえて、二十三年ぶりの奈良くんの声を聞いている。

「関口さん、聞こえてます？」

「はい、聞こえてます」

「ご実家のほうにお電話したら、こちらを教えていただいたので」

「驚いたでしょう、わたしが教師なんて」

「半分は驚きましたけど、もう半分はすんなり納得した、かな」

「ふふ……奈良くんはいま、なにを？」

「じつは」

「まさか」

「そのまさか。オレも、教師やってます。中学校の」

「ウソ……」

「ホント」

くすぐったいような感触の沈黙が、少しだけつづいた。

「ところで、突然お電話したのはですね」

なんだかくすぐったいしゃべり方。

関西弁を抑えているうえに、二十三年ぶりに話す相手との電話。さらには、当時のわたしには使ったこともない丁寧語を重ねているせいで、そんなしゃべり方になっているにちがいなかった。

「奈良くん、ねえ、ふつうに話していいよ。むかしのままで」

奈良くんは少し考えこんでから、かすかな照れをにじませた声で答えた。

「じゃあ、むかしのままじゃあんまりなんで、丁寧語だけやめようかな」

胸の奥が甘くしびれるような感覚に、つい口もとがゆるみそうになる。

「うん、じゃあ、それで」

むかしのままじゃあんまり。

たしかに、あんまりかもしれない、と思った。当時の奈良くんはわたしに対して、ほとんどまったくといっていいほど、まともな言葉を返してはくれなかった。ああ、とか、いや、とか、あとは無言のまま首を横にふるか、縦にふるか。

わたしたちは本当にただのクラスメイトで、もしもあのふたりがわたしたちのあいだにいなければ、なんの接点を持つこともなく、中学時代の一時期をただ通りすぎていくだけの間柄でしかなかった。

「あ、そうだ。ついでにいっとくと、いまはオレ、〈奈良〉じゃないんだ。名字、変わってて。わかりやすいように〈奈良〉で電話を取りついでもらったけど」

「えっ、ご結婚？」

「ははっ、じゃなくて。変わったのは、もうずっと前。高校生のころ」

あ、と思う。

奈良くんのご両親、あのあと結局、離婚なさったんだ……。

当時のわたしが、かろうじて知っていた奈良くんのおうちの事情を思いだす。

「それでね、なんで急に電話したかっていうと、一応、関口さんにも伝えておきたくて」

「わたしに？　なにを？」

いまの姓をたずね返す間も与えずに切りだしてきた奈良くんの声が、にわかに緊張しはじめていた。つられてわたしも緊張して、うつむかせていた顔をそろりとあげる。

吉井先生は、まだいた。いまは椅子に腰をおろして、なにやらゴソゴソやっている。

「奈良くん？」

黙ってしまった奈良くんをせかす。

「うん……あのね、オレの叔父が——あ、関口さんには、久和先生っていったほうがわかりいいか。久和寿がね、死んだんだ」

久和先生が、死んだ？

「うそ」

「……うそじゃないんだ、残念なことに」

そんな。

久和先生が？

信じられない。

「あの人らしいっていえばあの人らしいんだけど、駅のホームで、酔っぱらいにからまれてた女の人を助けたんだって。それで、その場はいったん収まったんだけど、列車がホームに入ってきた瞬間、その酔っぱらいの体当たりを食らって」

あの久和先生が……そんな亡くなり方を？

「……知らなかった」

「ニュースや新聞でも取りあげられてはいたんだけど、名前は出てなかったから」

「そう……」

「そろそろ一ヶ月になるのかな。すぐに連絡しなくて、ごめん。余計なこと、ぐちゃぐちゃと考えてしまって。自分やあの人のこと、関口さんは覚えてるかな、とか。葬儀の類いはいっさいやってないから。もし自分の身になにかあっても、延命は絶対にしない、葬儀は出さないっていう意志を、本人があらかじめ、うちの母親に伝えてたらしくて」

わたしは完全に、言葉を失っていた。声も出ない。

「関口さん？　だいじょうぶ？　関口さん」

受話器からは、関口さん、とわたしを呼ぶ奈良くんの声がつづいている。

――関口さんって呼ばないで。

いまから二十三年前。

世界のどこかで飢えて死んだ子どもが、どうかひと口の食べものをください、と神さまに祈っていたとき。

わたしは、どうかクラスの誰かが、名字の関口ではなく、名前の佐紀で呼んでくれますように、と祈っていた。

二十三年ぶりに耳にした、奈良くんの声が呼ぶ〈関口さん〉に、当時のわたしが支配されていた気持ちを、寸分たがわず思いだす。

ああ……なんて惨めで、なんて底のない、なんて救いのない気持ちなんだろう。

世の中に、インターネットもメールも、携帯電話でさえ、いまのようには普及していなかったころ。

十四歳のわたしは、自分の内側にしか向いていない目で、世界のすべてを見渡せている気になっていた、とても愚かな子どもだった。

久和先生と奈良くん

1

いわゆる閑静な住宅街の中。

ゆるやかな坂をのぼり切ったつきあたりの高台に、その家はあった。

西新宿のはずれ、ほとんど幡ヶ谷に程近いその地域は、比較的ゆったりと居を構えた一軒家ばかりが集まっている、古くからの住宅街だった。

そんな場所にある広大な敷地と持ち家とを、若くして親戚からゆずり受けるってどんな気分なんだろう――。

そんなことを考えながら、わたしはその家へとつづく坂道をのぼっていく。

弟の朋典が、電柱にでも張ってあったらしいしおれ切ったチラシを母親に見せて、ここに通いたい、といい出したのは、五年生に進級して少し経ったころのことだ。

黄ばんだヨレヨレのチラシには、こう記してあった。

【科学と実験の塾（小学校高学年対象）生徒募集！　楽しく学ぶ科学を通じて、すべての学科に必要な柔軟で回転のいい頭を作りましょう】

うさんくさい、とわたしは思ったけれど、母親は、学習内容の概要もろくに調べもしないうちに、あっさりと許可を出してしまった。

小学五年生にもなって、サッカー以外のなににも興味をしめさなかった息子が、みずから学習塾に通いたいといい出したことで、すっかり舞いあがってしまったらしい。

『佐紀だってもう二年生なんだし、そろそろ塾に通えば？』

おかげでわたしまでそんなことをいわれてしまったものだから、とんだとばっちりだとそのときは思ったものだった。

どうせすぐに飽きてやめるだろう、という家族全員の予想を裏切って、半年近く経ったいまも朋典は、喜々として《科学と実験の塾》に通っている。

そして、お迎え係としてわたしが坂の上の一軒家に足をはこぶようになってからも、半年近くが経つ。病院に通うほど深刻な症状ではないものの、朋典は鳥目気味で、暗い場所ではしょっちゅうなにかにつまずいたり壁にぶつかったりしている。夏の終わりの夕暮れどきともなれば、まばらな街灯だけがたよりの路地はかなり薄暗い。それが理由で、母親から朋典のお迎え係をたのまれてしまったのだった。

《科学と実験の塾》の授業が終わる午後七時を見計らってわたしは坂をのぼり、いまどきめずらしい平屋造りの、古びた木造の家を見上げる。

名前も知らない鬱蒼とした樹木に覆われた門をぬけて、荒れ放題の広い庭を横切ると、開けはなしたままの玄関先に、ラーメン屋の店先に吊られているような巨大な赤いちょうちんがぶらさがっている。壊れているのか赤いちょうちんがその代わりなのか、玄関灯はいつもついていない。ぼんやりとした赤い光だけが、木製の重厚な扉のまわりを淡く照らしている。

ちょうちんには、科学と実験の塾、と筆で書いた黒い文字がのたくっていて、なんてふざけた塾の看板なんだろう、と見るたびに思う。

しかも、そのちょうちんはどこかのお店からのおさがりらしく、うっすらと前の店名が残っていたりもするのだ。麺処・春眠亭、と読めた。

ふつうの民家だから、特別な造りの入り口ではない。生徒専用の靴箱があるでもなく、玄関先には、いくつものスニーカーが乱雑に散らばっている。デザインだけは一人前で、サイズは小学生のものばかりだ。そこに、おじさんが履くようなイボイボのついた茶色い健康サンダルがひとつと、大人サイズのスニーカーがふたつ、まぎれている。

玄関わきのすぐ左手、八畳と十畳の壁を取りはらってひとつの空間にした、タイル張りの床の部屋が、《科学と実験の塾》だ。

小学生たちのけたたましい笑い声が、廊下にまで響きわたっていた。わたしはおずおずと、教室の扉に手をかける。金属製のノブをにぎり、引こうとした瞬間、向こう側からいきおいよく、押しひらかれた。

「あ、悪い」

扉の向こうからのぞいた顔に、わたしの心臓は跳ねあがる。奈良くんだ！

奈良くんは、制服すがたのままだった。白い開襟シャツに、濃紺のスラックス。ほかの誰が着ていてもありふれたただの制服にしか見えないのに、奈良くんの体を包んでいると、なにか特別な衣装のように思えてしまう。

少女漫画から飛びだしてきたような、なんて陳腐ないい方はしたくないけれど、奈良くんは本当にかっこよくて、そのすがたが視界に入ってくるだけで、わたしの生きている世界が、まるきり別の世界に取りかえられてしまったように感じるほどだった。

そんなことを考えているあいだに、奈良くんはさっさとわたしのすぐ横をすりぬけて、玄関のほうへといってしまっていた。なにも見ていないような、それでいて視界に入るものはひとつ残らず影まで捕らえているような、そんな目だけが一瞬、わたしのすべてになる。

「姉ちゃーん」

カラーボックスを四つならべて、天板をのせただけ、という簡易な教卓の向こうから、朋典が手をふっている。そのかたわらには、先月二十六歳になったばかりの塾長、久和先生のすがたもあった。

「よう」

わたしに気がついた久和先生が、軽く片手をあげて、声をかけてくる。

「お迎えご苦労さん」

長めの前髪に半分かくれている片方の目が、蛍光灯の白い光にぎらりと光る。

久和先生の右目は義眼だ。病気なのか事故なのか、片方の目を失ってしまった理由は知らない。色つきの眼鏡をかけるでもなく、特にかくそうともしていないその人工の眼球は、近くに寄ってじっくり見なければ、ほとんど気がつかないほど精巧な作りをしている。それでもやっぱり、それは異質なものとしかいいようがなくて、はじめて会ったときは、さすがにぞくりとなったものだった。

久和先生自身は、義眼であることを気に病んでいる様子はない。朋典から聞いた話では、授業中、子どもたちのいたずらが度を過ぎると、義眼をはずすふりをして投球フォームを見せたりもするらしかった。

そもそも久和先生はとっても男前なので、長い前髪でかくれている限り、義眼が悪目立ちするようなこともない。

「どうした佐紀。そんなとこにつっ立ってないで入っておいでー」

佐紀、という呼びかけに、おなかの底から四方八方へはじけ飛ぶような興奮がわきあがってくる。うっかり外に飛びだしていかないよう、わざとゆっくり足を前に進めた。

「クワチン先生さよーならー」

「おう、さようなら」

「クワチン先生ばいばーい」

「気をつけて帰れよー」

教室の中へと足を進めていくわたしと逆行して、生徒たちが次々と、戸口から飛びだしていく。

急に、しん、とあたりが静まりかえった中、カラーボックスを横に四つならべた教卓のかげから、ひょこっと人の頭がのぞいた。

「あ、関口くんのお姉さんだ。こんばんはー」

男の子のように短い髪の毛先を四方に散らしている、どう見ても十八歳くらいにしか見えない女の人だ。

その人が、愛嬌たっぷりの笑顔をわたしに向けている。《科学と実験の塾》で助手をしている、百瀬さんだった。

週に四回、この塾でアルバイトをしていて、朋典が通っている曜日には、必ずわたしも顔を合わせている。総生徒数十六人の小さな塾で、助手なんか必要なのかという気もするけれど、授業のほとんどが道具を使っての実験ばかりだから、一応、いてもらわなくてはこまる存在なのかもしれない。

「関口くんの鳥目、まだ治らないのかあ?」

百瀬さんは床に散らばったプリントを拾いあつめていたらしく、曲げた腕の中には、ばらばらになったプリントがかかえられていた。そんな百瀬さんを上目使いに見上げた朋典は、ほんのりとほおを染めて、「にんじん食ってるよぉ」などといいながら、くちびるをとがらせたりしている。

「関口くんのお姉さんも、このぐらいの時間は観たいテレビだってあるよねえ」

百瀬さんはそういって、笑いかけてきた。わたしは自分でもいやになるほどあからさまにそっけなく、「別に、平気ですけど」と答えながら、視線を足もとに落とした。

いやな子だ。本当にわたしはいやな女の子だ、と思いながら、やっぱり顔をあげて笑いかえすことはできない。

「そっかあ、わたしもテレビはあんまり好きじゃないんだあ」

百瀬さんは、たいしてわたしの態度を気にとめた様子もなくからりとそういって、背にしていた足つきのホワイトボードに向きなおった。磁石と砂鉄を使った実験の手順を記した赤い文字を、スポンジ状の文字消しでこすり落としていく。

「佐紀はさあ、うちの甥っこと同じクラスなんだよね？」

唐突に、久和先生が話しかけてきた。はっとして、顔をあげる。

「あ、はい。そうです」

「あいつ、どう？　途中で夏休みはさまったけど、転入してから五ヶ月ちょっとだから、そろそろ半年近く経つんだよね。仲のいいやつとかできたのかな」

わたしは少しだけ、言葉を選んだ。

「奈良くんと仲よくしたそうにしてる子はたくさんいるんですけど、奈良くんはあんまりその気がないみたいで。でも、きらわれたりはしてないです。一目置かれてる、みたいな感じで。奈良くん、かっこいいし、なんか迫力あるから」

「うはは、迫力あるかあ？　あいつ。うははは」

久和先生は、うははと聞こえるちょっとくせのあるいつもの笑い方で、するりと話を切りあげていった。

「さて、と。そろそろ閉めますか。百瀬さん、だいじょうぶ？　あがれます？」

百瀬さんが、くるっと体ごとふり返る。満面の笑みだ。

「いつでもあがれますよー」

「うわ、またそんなうれしそうな顔しちゃって。そんなにうちに帰れるのがうれしいんですか」

「いとしのだんなさまが待ってますから」

「いいなあ」

ふたりの会話を聞いていたわたしは多分、ひどく意地悪そうな顔をして、思った。いいなあっていうのは、だんなさまに対して思ってることなんでしょ、久和先生？　って。

わたしは知っている。久和先生は、百瀬さんが好き。百瀬さんは、既婚者なのに。

とてもそうは見えないけれど、百瀬さんはもう三十歳で、本人いわく、〈大好きなだんなさま〉とのふたり暮らしだ。

少しも所帯じみていなくて、いつもいつもうれしそうで楽しそうな人。

わたしは百瀬さんがきらいだ。

百瀬さんにはきっと、悩みなんてないんだと思う。自分の好きな人に好かれていて、いっしょに暮らしてもいて、毎日が楽しくて仕方がない。そういう顔をしている、百瀬さんは。

なんの悩みもない頭の悪そうな人を、わたしは好きになれない。

だからわたしは、百瀬さんのことがきらいだ。


奈良くんは、中学二年生の四月なかばという、とても中途半端な時期に転入してきた。

お母さんとふたりで関西から東京に移ってきた、ということ以外、くわしい事情はわからない。

うちの母親がどこからか仕入れてきたうわさ話によると、父親が事業に失敗して、かなりの額の負債をかかえこんでしまったことが、母子ふたりの東京移住の原因らしかった。若い愛人の出現が引き金だった、といううわさもあるそうだけど、本当のことは多分、誰も知らないにちがいない。

担任の先生につれられて、奈良くんがはじめて教室にすがたを見せたとき、いつもなら些細なできごとにもいちいち大きな声で騒ぎあうような女子たちまでが、声にならないため息で、その驚きをあらわしていたのを覚えている。

奈良くんは、まわりにいる男子たちとはまるで次元のちがった男の子だった。

人から見られることをまるで意識していないようなそっけない表情。それが充分に似合うだけの整った顔立ち。いやみのない程度に落ちついた物腰。

クラスの誰もが、この季節はずれの転入生に息をのんで、男女の別なく我こそは、とそのかたわらに添うことを競った。

あれから約半年。

ざわめく教室の中、きょうも奈良くんは、誰とつるむこともなく、ひとり静かに自分の席に腰をおろしている。わたしはその横顔を、通路ひとつへだてたななめうしろの席から、そっと盗み見している。

そろりと背後から忍びよるようにして、誰かがわたしに近づいてきた。

「関口さん、次、音楽室だよね」

……峯田さんだ。

ふり返るまでもなく、そのささやくようなしゃべり方ですぐにわかる。第一、移動教室のとき、わたしに声をかけてくる人なんて峯田さん以外には考えられない。わたしは、耳をくすぐるような峯田さんのささやき声にわけもなくいらだちながら、うん、とだけ応じた。

クラスの中でのわたしのポジションは、いちばん目立たないグループの中の、さらに目立たない峯田さんとその友だちの関口さん、というところだ。峯田さんは文章を書くのが得意で、読書感想文のコンクールなんかでは、なにかしら賞を取る。だから、わたしよりも少しはランクが上だ。わたしには、なにもない。

わたしと峯田さんは、つれ立って教室を出た。ほかのみんなはまだ、輪になって話しこんだり騒(さわ)いだりしていて、移動の準備もはじめていない。

「関口さん、あの本、どうだった？」

ならんで廊下(ろうか)を歩きだしてすぐ、峯田さんは少しだけはずんだ声で話しかけてきた。

「あの本？」

「ほら、先週貸した本」

「あ、うん。あれは、まだ……」

「……そう」

すっかり忘れていた。

めずらしく峯田さんのほうから、おもしろい本があるから読んでみない？　といって、ハードカバーの本を学校に持ってきたのだ。もう持ってきてしまっているなら、となかば仕方なくかばんに入れて持ちかえったのだけれど、勉強机のすみに置いたまま、わたしはその本を開いてもいなかった。

「よかったら、読んでみてね。本当にいい本なの」

「うん、読んでみる」

面倒くさいな、と思いながら、わたしはふと、かたわらの峯田さんを横目で見やった。銀縁眼鏡の青白い横顔に、首のうしろでひとつに引っつめた、艶のないぱさついた髪。公立中学校の制服そのもの、といった感じの紺色ベストとボックスプリーツスカートの上下を、模範通りに着用しているなんの魅力もない痩せすぎた地味な体。

こっそりとため息をつきながら、視線を進行方向にもどしたところで、

「待ってよ、〈さき〉！」

廊下中に響く大きな声が、〈さき〉を呼んだ。

この〈さき〉は、わたしを呼ぶ〈さき〉ではない。

「廊下で大声出さないでってば、晴美。早くおいでー」

陽気な声が、それに応じる。

同じクラスの上原沙希さん。〈さき〉といえば、上原沙希だ。わたしの佐紀なんて、誰も認めていない。

「お、関口さんと峯田さんだ。おはよー。もう二時限目だけど」

上原さんは、あご先までの軽やかなショートカットをはずませながら、わたしたちのすぐ横を駆

けぬけていく。こぼれるような笑顔を残して。

クラスの誰にでも平気で声をかけて、誰からも〈さき〉と呼ばれて親しまれている上原沙希さん。

彼女に話しかけられるだけで、わたしはひどく惨めな気分になる。


いつもと変わらない一日を過ごして、いつもと同じようにひっそりと学校を出て、盛りあがらない会話をぼそぼそとつづけながら、峯田さんといっしょに帰る。

なにひとつ、きのうと変わらない帰り道だ。

峯田さんの家の前まできたところで、わたしたちは、ばいばい、と弱々しく手をふり合って別れた。

ひとりになって、残り数十メートルになった帰り道の途中で、わたしは不意に泣きたくなった。

どうしてこうもわたしは惨めなのか。

いつだって惨めで惨めでしょうがない。

学校から離れて、ひとりになった途端にほっとする。ほっとした次の瞬間、本当の自分はこんなんじゃない、と心の中で大声で叫ぶ。本当のわたしはもっと明るくて、誰とでも楽しくおしゃべりできて、足も速くて、勉強もできて、クラスのみんなが友だちになりたがるような、そんな女の子のはずなのに。

どうしてわたしは関口さんなのか。

どうしてわたしは佐紀じゃないのか。

いつもいつもそのことで頭がいっぱい。

そうしてきょうもわたしは、教会に通う敬虔なクリスチャンのように、あの坂をのぼる。いまのわたしには、《科学と実験の塾》だけだった。あの場所だけが、唯一のわたしの希望。

ふつうに考えて、わたしに絶望なんかが存在しているはずはなかった。居心地はよくないにしても、クラスでいじめを受けているわけでもないし、ごく平凡ではあるものの、家になにか問題があるわけでもないのだから。

うちのお母さんは、口うるさいことは口うるさいけれど、ごくごくふつうのお母さんだ。お父さんは本ばかり読んでいて冗談ひとつ口にはしないけれど、家族のために、文句もいわずに黙々と働いてくれている。わたしには自分だけの部屋があるし、おこづかいだって毎月ちゃんともらっている。朋典も、生意気は生意気だけれど、基本的には素直な弟だ。ほら、なにも問題はない。

それでも、家の中にいて楽しいと思うことは、ほとんどなかった。いつだって楽しいことは、ここじゃないどこかにあるんだ、と思いながら、学校と家を往復している。

わかっている。わたしに絶望なんかはない。

ただ、惨めなだけ。

それでも希望は必要だ。思うようにはならない、きょうやあしたを乗りきるための燃料として。

だから、わたしはあの坂をのぼる。

週にたった二日しかない、救いの日。

その日だけを待ちわびて、惨めで惨めでしょうがない毎日を、どうにかしてやり過ごしている。


いつもより少しだけ早く《科学と実験の塾》に着いてしまったわたしは、すぐには玄関に向かわず、なんとなく久和先生のおうちの裏手に回ってみた。この平屋造りの一軒家の裏側がどんなふうになっているのか、前からちょっと気になっていたからだ。

裏手には、ほとんど通路のような細長い庭があった。コンクリートの塀の向こう側には、ささやかな竹林が広がっている。空き地のようだった。ふうん、このおうちの裏手ってこんなふうになってたんだ、と思いながら、きょろきょろとあたりを見回す。細長い庭を進んでいくと、台所から裏庭に出入りするためのものらしい扉があった。そのすぐ横の小窓から、淡く光が漏れだしている。

ほんの少しだけ、窓が開いていた。

鼻歌が聞こえてくる。

奈良くんだ、とすぐにわかった。奈良くんは、誰も聞いていないと思っているから、無防備に鼻歌を歌っている。

わたしはそっと壁に体を寄せると、物音を立てないよう神経を研ぎすませながら、奈良くんの鼻歌に聞きいった。聞きおぼえのないメロディだ。奈良くんはふだん、どんな音楽を聴いているんだろう、と思った。奈良くんのことをもっと知りたい。ほかの女の子たちが知らないことを、わたしだけが知りたい。

いっそ、奈良くんの前髪になれたらいいのに……。

そうすれば、奈良くんがふだん聴いている音楽だってわかるし、観ているテレビ番組や、読んでいる本やマンガもわかる。お母さんと話すときはどんな感じなのか、とか、なんて呼ばれているのか、なんてことまで、全部わかってしまう。

比佐弥、なのかな。比佐弥くん、なのかな。それとも、ひーくん？　ひーちゃん？

わたしの〈佐紀〉には、比佐弥の中にも入っている〈佐〉が入っている。それだけで、わけもなくうれしかった。佐紀って名前でよかったってはじめて思えた気がするくらい、うれしい。だから、もしわたしが奈良くんと仲よくなれたら、絶対に、比佐弥くんって呼ぶつもりだ。あだ名なんかでは呼ばない。せっかくの〈佐〉を略してしまうのはいやだから。

ああ、本当に、いますぐにでも奈良くんの前髪になりたい……。

うっとりと聞きいっていた奈良くんの鼻歌が、急にやんだ。

まさか見つかってしまったんじゃ、と一瞬、どきっとなったけれど、「なんだ、洗ってくれてたのか」という久和先生の声が聞こえてきたので、ああ、それで鼻歌がやんだのか、とほっとした。

「悪いな、ついでにこれもいいか」

「おー」

「残りのは百瀬さんに洗ってもらうし、おまえは適当なところで切りあげていいからな」

「わかった」

そういえば、水道水が流れる音もしていた。奈良くんは台所で、実験に使った道具かなにかを洗っていたようだ。

洗いものをしながら、ついつい鼻歌を歌ってしまう奈良くん。誰かがそばにくると、その鼻歌をぱっとやめる奈良くん。

ほかの女の子は、こんな奈良くんをきっと知らない。

わたしだけが知っている奈良くんだ。
神さま、とわたしはすっかり暗くなった空に向かって祈った。
どうかわたしから、《科学と実験の塾》を取りあげたりしないでください。
いまのわたしには、これだけなんです。
本当に、これしかないいんです……。

2

奈良くんが久和先生の甥だと知ったのは、朋典の入塾手続きのとき、たまたま母親にくっついていった気まぐれのおかげだった。

わたしが近所の公立中学に通う二年生だと知ると、久和先生がいきなり、奈良比佐弥を知っていますか、といい出したのだ。どきどきしながら同じクラスだと答えると、比佐弥はぼくの甥なんですよ、という思いがけない返事があって、わたしは飛びあがりそうなほど驚いて、興奮したものだった。

奈良くんと奈良くんのお母さんは、久和先生といっしょには暮らしていない。不仲が理由なわけではなく、なにか別の事情で、ほかの部屋を借りているらしかった。

奈良くんの暮らすマンションは久和家から歩いて数分の距離のところにあるそうで、だからというわけではないのだろうけど、《科学と実験の塾》がある日は、たいてい奈良くんも久和家にいた。奈良くんにとって久和先生は多分、親戚の叔父さん、という以上の存在なんだろうと思う。

わたしと奈良くんが言葉を交わすことはほとんど皆無に近かったけれど、学校以外の場所で顔を合わせることができるだけで、わたしは充分な幸福感を味わっていた。このあいだのように、たまたま鼻歌を聞けてしまったりもするし。

奈良くんは授業中に助手のようなこともしていて、わたしが朋典を迎えにいくのとほとんど入れちがいで、教室から出てくる。

きょうは勇気を出して、こんばんは、と玄関のところで声をかけてみた。返ってきたのは無言の会釈だけ。それでもわたしは、胸の中に広がる甘い満足感に酔いしれた。学校以外の場所で奈良くんに会うことができる女子なんて、わたし以外には絶対にいない。そう思うだけで、惨めで惨めでしょうがない毎日から、ほんの少しだけ浮上することができた。胸いっぱいに、きれいな空気を吸うことができる。

「うひい、変な色のシャツぅ。百瀬さんって大人のくせに、子どもみたいなかっこうしてるよなー」

声変わりもしていない朋典のかん高い声が、聞こえてきた。

扉の前で立ちつくしていたわたしは、はっとして教室の中に目をやった。ふたつある扉のうち、玄関わきの出入り口から見たいちばん奥に、カラーボックスの簡易教卓とホワイトボードが置かれている。学校の教室でいうところの教壇だ。

朋典と百瀬さんはホワイトボードの前、久和先生はそこから少し離れた窓辺に立っていた。久和先生は、門から坂道へと飛びだしていく生徒たちに、気をつけて帰るんだぞー、と声をかけている。

百瀬さんが、朋典にからかわれた自分のシャツの胸もとを見下ろしながら、「えー、そんなに変かなあ。お気にいりなのになー」とひとりごとのようにつぶやくと、久和先生が、くるっと百瀬さんのほうをふり返った。

「似合ってますよ。百瀬さんって感じで」

少し目を細めて、まぶしそうにしながら久和先生は百瀬さんを見ている。わたしはそんな久和先生を見て、そんなに好きなんだ、百瀬さんのことって思った。

百瀬さんは自分のシャツを見下ろしたまま、笑いながらツッコミを入れる。

「変なシャツが似合うっていわれてもうれしくないですよー。シャツはどうなんですか、シャツは」

久和先生も、笑っていた。

「そこはあえて触れずにフォローしたんじゃないですか」

うれしそうに楽しそうに笑う百瀬さんと、そんな百瀬さんを見て、うれしそうに楽しそうに笑っている久和先生。

奈良くんに会えて浮かれていた気分に、ぷつっと小さな穴が開いたような気がした。

扉を背にしたところで足を止めていたわたしは、わざと大きな足音を立てて教室の中に入っていった。折りたたみ式の細長いテーブルが四つ、等間隔にならべられたそのあいだをぬうようにして進むと、「トモ、迎えにきたよ」と声をかけながら朋典に近づいていく。

百瀬さんのカラフルなシャツのすそをつまんで揺らしていた朋典は、見るからに不満げな顔をしてみせた。

「えー、もうきたのかよぉ、姉ちゃん。早いよー」

こんな子どもまで、百瀬さんに夢中。

そう思った瞬間、自分でもびっくりするくらい大きな声でどなってしまっていた。

「じゃあひとりで帰ってきなっ。姉ちゃん、もう知らない！」

我に返ったときには、朋典、百瀬さん、そして久和先生の目までが、いっせいにわたしを凝視していた。

いますぐここから逃げだしたい、と思った。必死に足を動かそうとするのだけど、体が硬直してしまっていて、身動きのひとつも取れない。

「こーら、朋典くん。せっかく迎えにきてくれたお姉さんに感謝の気持ちがないぞお」

やんわりとした口調で百瀬さんは朋典に向かってそういうと、わたしには、ねえ？　と小首をかしげながら笑ってみせた。

この人もか、と思った。

この人も、わたしを惨めにさせる人なのか、と。

ぎゅっとくちびるを噛んで、顔をうつむかせた。

すると、なんの脈略もなく久和先生が、「あれっ、煙草がねえや」と、よく通る声でいった。

「買いにいこうっと。よし、みんないっしょに出るか」

いったいどんな魔法なのか、久和先生のなんでもないひと声を耳にしただけで、わたしの体は自由になっていた。凍りついたように動かなくなっていた足も、ちゃんと動く。

ほら、佐紀もいっしょに、と久和先生が廊下を指さしている。やっと動くようになった体で、わたしはうながされるまま廊下に出た。先に玄関へと向かう。

少し遅れて、久和先生たちもやってきた。わたしにどなられたことを気にしているのか、朋典はひとこともしゃべらないまま、ぎくしゃくとわたしのとなりでスニーカーを履いている。

先に靴を履き終えて立ちあがろうとしたわたしの頭に、大きな手のひらが、ぽん、とのっかってきた。久和先生の手だ、と思った途端、じわ、と涙がにじむ。

「お姉ちゃんは大変だよなあ」

そういいながら久和先生は、わたしの頭の上で、ぽんぽん、とやさしく手のひらをはずませた。

本当は朋典のことで腹を立ててどなったわけではなかったけれど、わたしはあえて、否定はしなかった。それどころか、いかにも朋典にはふだんからいらいらさせられてこまっている、というように、むっとした表情まで作って、小さくうなずいてみせたりもした。

自分のずるさに、わたしはもう慣れっこだ。

すっかり悪者にされてしまった弟が、居心地悪そうに顔をうつむかせているのに気がついていたって、平気で知らん顔できるくらい、わたしはずるくて性格が悪い。

どうしてこんな子になっちゃったんだろう、と思う。思いながらも、それでもわたしは、訂正したりはしない。朋典に腹を立てているふりをしたまま、そそくさと玄関の外に出ていった。

坂をくだっていく途中、きょうは特別に佐紀と朋典にアイスを買ってやろう、と久和先生がいい出したので、わたしたちはつれ立って坂の下のスーパーに寄った。

どうせならいっしょに食べていこうということになって、甲州街道と平行する形で設けられている遊歩道に入って、ふたつならんだベンチに、二組にわかれて腰かけた。わたしのとなりには久和先生、百瀬さんのとなりに朋典だ。

「ねえねえ、百瀬さんのだんなさんっていまいくつぅ？」

甲州街道をいき交う車の音以外ほとんど物音のしない静まりかえった遊歩道に、かん高い朋典の声が響きわたる。ついさっきまでしょげていたことも忘れて、すっかり上機嫌だ。朋典からの問いかけに、百瀬さんはうれしそうに答えた。

「二十三歳！」

「うえー、七歳も年下かよぉ」

朋典がおおげさに驚いている。わたしはかたわらの久和先生の横顔をそっと観察していたのだけれど、その表情には特に変化はなかった。だんなさんの年齢は、履歴書を通じてか本人の口から聞くかして、すでに知っていたのかもしれない。

「うえー、かあ。でもね、年の差はあんまり感じないんだ」

百瀬さんは少しも照れることなくさらりといって、水色のアイスバーの先端を、まっ白な歯でカリッとかじった。

「知りあったきっかけは？」

カップのアイスを木のスプーンですくいながら、久和先生がごく自然にたずねる。百瀬さんは、やっぱりうれしそうに答えた。

「うーん、それは、ないしょで！」

わたしと久和先生のいるベンチのほうに向かって首を伸ばしながら、にこにこと笑っている。

「あー、ナンパですかあ？」

久和先生はおどけた調子でさらに食いさがろうとしたけれど、百瀬さんは楽しそうに笑うばかりで、それ以上その質問に答える気はないようだった。

「百瀬さんみたいな人がそれだけ好きになった人なんだから、よっぽどの人なんでしょうねえ」

久和先生は、質問の矛先の角度だけを微妙に変えて、なおも〈いとしのだんなさま〉のリサーチを続行しようとした。好きな人の好きな人は、大人の男の人でも気になるものらしい。

百瀬さんは少しも調子の変わらないほがらかな口調で、さらに久和先生をかわした。

「百瀬さんみたいな人ってどういう意味ですかあ、久和先生。なんかトゲを感じるなあ」

「またはぐらかそうとしてるでしょ、百瀬さん」

「ふふ。まあ、ひとことでいえば、わたしにとっては特別な人ってだけです。ほかに代わりになる人はいません。あの人がいるから、わたしは生きている。そういう存在ですかねえ……って、うわあ、恥ずかしい。のろけちゃったじゃないですか」

なにが『のろけちゃったじゃないですか』だ、とわたしは胸の中で思いきり毒づいた。こんな話、聞きたくもない。馬鹿みたいだ。

「お？」

すぐ横の久和先生が、突然、すっとんきょうな声を出した。

「どうしたの、おまえ」

その大きな声に、わたしはびっくりして顔を跳ねあげる。えっ、と声をあげそうになった。いつのまに現れていたのか、すぐ目の前に奈良くんが立っていたからだ。

タイトな紺のTシャツに、ぶかっとしたグレーのスウェットパンツ。さっき久和家ですれちがったときとはちがって、私服すがただ。

「どうしたのって、寿お兄こそ、こんなところでなにやってんだよ」

奈良くんは不機嫌そうにいって、久和先生の健康サンダルの足先を、スニーカーの底でぎゅうっと踏みつけた。

「いって。なにすんだ、おまえは。見ればわかるでしょ。みんなでアイス食ってんの」

「わかってるよ、アイス食ってるってことぐらい。そうじゃなくて、うちに夕飯食いにくる約束しといて、こんなとこでなにやってんだっていってんの、オレは」

「あれ、そうだっけ。忘れてた」

「忘れてんじゃねえよ、アホウ」

「それじゃおまえ、オレのこと迎えにきたってこと?」

「ちっげえよ。たのまれてそこのスーパーに買いものにきた帰り。たまたま通りがかっただけ」

「そうかそうか。びっくりした。さがし回ってたのかと思った」

「そこまでするわけねえだろが」

こんなにたくさんしゃべる奈良くんを見たのは、はじめてだった。意外に早口だ。わたしは、ぼうっとなった頭のまま、ななめ下から見上げている奈良くんの小さくとがったあごのラインに、見とれつづけていた。

「じゃあ、オレいきます。百瀬さん、お疲れさまでした。また来週、お願いしますね。朋典、佐紀、気をつけて帰れよ」

久和先生は、ベンチから立ちあがる途中の中腰の体勢で、一気にそれだけのセリフをいい終えると、すでに歩きだそうとしていた奈良くんに、いきおいよく飛びかかっていった。その背中に、覆いかぶさるように抱きついてしまう。奈良くんは、わっ、と声をあげはしたものの、ふり払うことまではしなかった。自分よりも頭ひとつ分ほど背の低い奈良くんの肩に、ひょいっとあごをのせた久和先生が、笑いをふくませた声でしゃべり出す。

「こいつの母親……つまりはオレの姉にあたる人ですけどね。約束をやぶるとか時間に遅れるとかに、ものすっごく厳しいんですよ、むかしから。十歳以上、離れてますからねえ。オレにとってもほとんど母親みたいなもんで。最近はさすがに手や足は出ませんけど、うっかり怒らせると、ホンットに怖い人で」

「あ、おかんにいってやろ」

奈良くんが、にや、と笑う。

「ほーう。だったらオレも、姉ちゃんにばらしてやろ」

「なにをだよ」

「いっていいのかあ、ここで」

「アホウ、やめろや」

「うはは、関西弁出てるぞお」

「うっさいんじゃ、寿お兄は」

うわあ、うわあ、関西弁だ！　奈良君の関西弁だよお――わたしは興奮のあまり、実際に声に出して、うわあ、うわあ、と口走りそうになっていた。

あわてて両手で口もとを覆って、どうにかこらえる。すると、となりのベンチから、

「うーん、いいなあ、比佐弥くんの関西弁。すっごく新鮮」

百瀬さんの、はずんだ声。

ほとんど飽和状態だった浮かれ気分が、一瞬でしぼんでしまった。

奈良くんは、背中に張りついた久和先生のあごを自分の肩にのせたまま、百瀬さんのほうに体の正面を向けた。学校では見せたこともないおだやかな顔をして笑う。

「新鮮って、百瀬さん。オレは野菜やないんやから」

百瀬さんは、おかしくてたまらない、というふうに笑った。

「ははは、比佐弥くんが野菜だったらなんだろって考えたら笑えてきた。お肌すべすべだから、

桃？　男の子に桃はないか。ははっ」

「桃はくだものや、百瀬さん。野菜やない」

「あ、ホントだ」

なんだって百瀬さんはこうも自然に、それをいわれた相手が気持ちよく応じられるような言葉を、するりと口にすることができるのだろう。

うわあ、うわあ、という感嘆の声をあげてしまいそうになるのを必死に我慢していたわたしのすぐそばで、百瀬さんはあまりにもあっさりと、本当はそうしたかった、と歯ぎしりしたくなるようなやり取りを奈良くんと交わしている。

惨めで惨めでしょうがなかった。

百瀬さんさえいなければ、わたしはただ、奈良くんの関西弁を聞くことができたしあわせだけにひたっていられたのに。

……ひどい人だ、百瀬さんは。

わたしは、なにかに押しあげられたようないきおいで立ちあがると、朋典の手をつかんで歩きだした。

「お、気をつけてなー」

背中にかかる久和先生の声。

「さよならー、また来週ねえ」

それにつづく百瀬さんのすみきった声。

憎い、と心の底から思った。憎い。憎い。憎い。憎い。憎い！

わたしは生まれてはじめて、特定の誰かをはっきりと憎んだ。


いやなことは、つづいて起こるものらしい。

百瀬さんにひどく惨めな思いをさせられたその翌日、わたしはとんでもない失態をさらしてしまった。しかも、クラス全員の前で。

これといって得意な科目があるわけでもないわたしにとって、どの授業もおもしろいと感じることはないし、積極的に当てられたい、と思うこともない。

唯一、英文の音読だけが好きだった。どれだけスムーズに、それらしく英語の教科書を読みあげることができるか、自分の部屋でこっそり練習するのは、ちょっとしたお楽しみのようなものだったりもする。

だから、英語の授業で久しぶりに音読の指名を受けたとき、少しだけ、ほんの少しだけ、張りきってしまった。

自宅で何度も練習して、かなりなめらかに読みあげることができるようになっていた部分だったのも、よくなかったかもしれない。いつもなら地中深く埋まっているはずの、なけなしの自信がひょっこり顔を出してきて、わたしにあんなことをさせてしまったのだから。

思いだすだけで、血の気が引いてくる。

どうしてあんなことをしてしまったんだろう。いかにもネイティブっぽく聞こえそうな発音で、ちょっと早口に読みあげるだなんて。キャラじゃないにもほどがある。

案の定、わたしがそうやって教科書の一部を読みあげた途端、どっ、と笑い声が起きた。すぐに悟る。帰国子女でもないのに、なんでいきなりネイティブ風の発音? ウケ狙いってわけでもなさそうだし、意味不明で笑えるんですけど――そんなふうに受けとられたのだと。

笑わせるつもりなんてまるでなかったのに、笑われてしまったことを、わたしはじわりと理解した。あのときの、あの感じ。

一瞬、悪い夢を見ているような気持ちになって、すぐに、『ちがう。これは現実だ。わたしは、やってしまったんだ』と気がついた瞬間の、あの感じ。

地獄に落ちた、と思った。

それは、途方もなく苦しい時間がはじまる予感。しばらく忘れていたけれど、体は覚えていた。そうだ、こんなふうにまわりから笑われると、息もできなくなるんだっけ、と。

低学年のころ、わたしはときどき、無自覚にみんなから笑われるようなことをしてしまうことがあった。注意深く、目立つことをしないようにしているおかげで、どうにか笑われない子でいられたことを、すっかり忘れてしまっていたらしい。

『関口さん？　どうしました？　つづけましょう、最後まで』

英語担当の大原ステイシー洋子先生は、わたしが地獄の底にうずくまっていることにも気づかないまま、先をうながした。

抑揚をいっさいなくした読み方で、わたしはどうにか音読をつづけたけれど、それが余計に自分をみっともなく見せることには、もちろん、気がついていた。ここは堂々と、ネイティブっぽく聞こえそうな、ちょっと早口の音読をつづけるほうが、みっともなさの度合いが少しはマシになるってことくらい、ちゃんと気づいていたのに。

それができないのが、わたし。

犯してしまった失敗を笑いに変えることもできず、ただ取りつくろうようなことしかできない、みっともない女の子。

指定された部分を読みおえて、椅子におしりをもどしたとき、氷の上に座ったような気がした。このまま凍りついてしまって、北海道の雪像みたいになって、最後にはハンマーでこなごなにくだかれたい、と思ったけれど、そんな夢のようなことが起きるはずもない。

とにかく、きょうはもうこれ以上のミスだけは犯しませんように、とただそれだけを願いながらその後をやり過ごしたあとは、いつもどおりの峯田さんといっしょの帰宅を終えて、わたしはいま、自分の部屋にいる。

地獄はつづいていた。

どうしてあのとき、あんな読み方をしてしまったんだろう。どうしていつもどおりに、つっかえたりはしないんだけれど、あえてのカタカナ風の発音で読みあげなかったんだろう——際限なく、考えてしまう。取りかえしのつかない失敗をしてしまったときの、その前後のことばかりを。

これ以上の地獄はない、と思う。あんなことやらなければよかった、そうすればいまも、いつものなんでもないおだやかな時間を過ごせていたはずなのに、と悔やむ時間。ただただ、悔やむ時間。苦しくて苦しくて、体が内側から裏返ってしまいそうになる。

誰か助けて、と思っても、誰にも助けてもらえない。お母さんに話したって、『そんなこと気にしたってしょうがないじゃない』っていうに決まってる。みんなすぐに忘れちゃうに決まってるでしょ、とか、そんなようなこともつづけていう。そうやって、佐紀が悩んでることは本当にくだらなくて、どうでもいいことなんだよって、納得させようとするだけだ。

わかっているから、お母さんにだって話せない。

ひとりで延々と悔やむだけ。どうしてあのとき、わたしはあんなことをって。

ああ、ここは地獄だ。

いつ終わるの？

いつ出られるの？

どうしてわたしはこんなに、地獄に落ちやすいの？

勉強机につっぷしたまま、わたしはわたしだけの地獄をさまよいつづける。

こんなとき、いつもなら《科学と実験の塾》がわたしの蜘蛛の糸だ。

頭上に広がる暗闇の彼方から、一本だけ垂らされた細くてたよりない透明の糸。

それをよじのぼる以外に、わたしがこの地獄から逃げだす方法なんてないのに。

閉じたまぶたの裏側にあるのは、憎たらしい百瀬さんの、うれしそうに楽しそうに笑っている顔だった。

どれだけ百瀬さんに会うのがいやだと思っていても、《科学と実験の塾》に足を向けない、という選択肢はわたしにはなかった。

百瀬さんへのいらだちと憎しみがどれだけあったって、わたしはあの坂をのぼる。

だって、わたしにはあそこだけだから。

いつだって、ここじゃないどこかへいきたい、と願いつづけているわたしにとって、あの場所以外に、〈ここじゃないどこか〉はないのだから。

いつものように、赤いちょうちんの横を通って玄関に入っていこうとしたときだった。奈良くんが、スニーカーをつっかけながら飛びだしてきた。

あっ、と思ったのと同時に、わたしは実際に、「あっ」と声をあげてしまっていたのだけれど、奈良くんはまったくなんの反応も見せないまま、走っていってしまった。

ひどくあわてているようだった。どうしたんだろう、と思いながら玄関へとあがる。廊下を進んですぐのところにある教室をのぞいてみても、誰もいない。おかしいな、と首をかしげながら廊下にもどると、「おーい」と大きな声で呼ばれた。

廊下の奥には、ガラス戸で仕切られている台所がある。久和先生は、全開になっているガラス戸の向こうから半分だけ身を乗りだすようにして、廊下に顔をのぞかせていた。

「おー、佐紀。悪いんだけど、朋典のお迎え、ちょっとだけ待ってもらってもいいかー？」

なにかあったのかな、と思いながら、とたとたとた、と板張りの廊下を進んでいく。

どうしたんですか、と声をかけて台所の中をのぞくと、そこには、流しっぱなしにしているシンクの水に向かって腕を伸ばしている、百瀬さんのすがたがあった。

その横で、なぜだか朋典が泣きじゃくっている。

「やだ……どうしたの、トモ。なんで泣いてるの？」

朋典は、おねーちゃーん、といいながら、ぐーの形ににぎった両手で顔を覆って、ますます激しく泣いた。わたしには、なにがどうなってこうなっているのかさっぱりわからない。

百瀬さんのすぐうしろに寄りそうようにして立っていた久和先生が、朋典の肩を力強く抱きよせながら、わたしのほうをふり返った。

「朋典がさ、ふざけて腕をふり回した拍子に、火がついたままだったアルコールランプがひっくり返っちゃって。そんで、百瀬さんのシャツの袖にね……」

そこまで説明された時点で、わたしは完全に血の気が引いてしまっていた。

百瀬さんは、やけどをしたんだ！

きっと、損害賠償とかさせられるにちがいない。病院代とか慰謝料とか、たくさんお金を取られるんだ……。

気がついたときには、朋典をどなりつけていた。

「トモッ、なんでそんな馬鹿なことしたのっ！」

ひやーん、となさけない声を出しながら、朋典が顔を天井に向ける。かまうことなくわたしは、トモの馬鹿っ、お母さんに怒られるからねっ、とどなりつづけた。息が止まってしまうんじゃないかと思うくらい、朋典は激しくしゃくりあげている。

「待って待って、関口くんのお姉さん」

突然、百瀬さんがくるっとわたしのほうに顔を向けてきた。

「ちがうの。わたしも悪かったんだ。倒れそうになったアルコールランプをとっさに受けとめようとして、手を出しちゃったから」

「そう……なんですか？」

「そうなのそうなの。だから、関口くんだけが悪いわけじゃないんだよ」

わたしは、ひざから力がぬけてしまいそうなくらい、ほっとした。

だったら、うちの親がなにか責任を取ったりするはめにはならないかもしれない。

「でもお、あんときオレがあ、あんなふうにい、腕をぐるぐる回したりしなければあ、百瀬さんはあ……」

嗚咽にじゃまされながらも、朋典が必死になにかいおうとしている。

そんな朋典に、わたしは心の中で、馬鹿っ、と叫んだ。せっかく百瀬さんが、自分にも非があったってことにしてくれてるんだから、余計なことはいわないでって。そのままにしておいたほうが、お父さんもお母さんもこまらないいんだよって。

わたしが思わず、朋典の口もとに向かって手を伸ばしそうになったそのとき、すっと久和先生がひざを折って、朋典の真正面にしゃがみこんだ。

「それで？　朋典。あのときおまえが、腕をぐるぐる回してなかったら、百瀬さんはどうなってたと思う？」

「やけどなんかはあ、してなかったと思いますう」

「そうだな、その通りだ。オレや百瀬さんがいつもいってるよな。火がついてるアルコールランプのそばでは、絶対にふざけちゃだめだぞって。ふざけると、こういうことになるんだ。だから、ふざけちゃいけない。朋典はもう、わかったよな？」

「はいぃ、わかりましたあ」

「よし、じゃあ、もうなにも心配しなくていい。百瀬さんのやけどは、そんなにひどくないから」

蛇口の水に腕をさらしたまま、百瀬さんが顔だけをうしろに向ける。

「そうそう、関口くん。こんなの、ぜんぜんたいしたことないから。こうやって流水で冷やしてれば、すーぐよくなっちゃうよ」

久和先生も百瀬さんも、朋典に責任を取らせるつもりなんてなかったんだっていうことが、ようやくわたしにもわかってきた。

ふたりはただ、してはいけないことをしたらどうなってしまうのかを、きちんと朋典に見せていただけなんだ、きっと……。

廊下のほうから、どんどんどんどんっという足音が聞こえてきた。

「ワセリン、買ってきた！」

台所に飛びこんできたのは、奈良くんだった。

奈良くんがあわてて飛びだしていった理由が、いまになってわかった。

「おー、くれ」

久和先生は、奈良くんの手からワセリンの容器を受けとると、それをすぐに、百瀬さんの腕にたっぷりと塗(ぬ)った。

「これで、この上からこうやってラップをですね……」

そう説明しながら、用意してあったラップを、ワセリンを塗った百瀬さんの腕の上にぐるぐると巻いていく。

「応急処置ですけど、これやっとけば、この程度のやけどなら跡(あと)は残りませんから」

「へー、ワセリンにこんな使い方があったんですねえ」

百瀬さんは、いつもと同じうれしそうで楽しそうな口調でいいながら、久和先生の手もとをのぞきこんでいる。

「多分、病院でもこれと似たような処置しかしないとは思います。ただ、塗り薬は処方箋(しょほうせん)をもらって手に入れるやつのほうが効きはいいでしょうから、できれば、きちんと病院にいってください。もちろん、治療費(ちりょうひ)はすべてこちらでお支払(しはら)いしますんで」

「いえいえ、本当にこんなやけど、たいしたことないですから。これで充分(じゅうぶん)です」

ふたりの会話を聞きながら、わたしは、朋典のせいでうちの親がこまったことになるんじゃないかってことばかり考えていた自分に、ひどくショックを受けていた。

どうして、そんなふうにしか考えられなかったんだろう。

わたしは百瀬さんのやけどの心配もしないで、どうにかして朋典やうちの親が責任を取らずに済むようにって、そればかり考えていた。

どうしてほんの少しでも、百瀬さんのやけどはだいじょうぶなのかな、と思ったり、大変なことをしてしまった、とうろたえて泣いていた弟を安心させてやらなくちゃ、と思ったりしなかったんだろう……。

本当に、わたしは最低な女の子だと思った。なにひとついいところがない、最低な女の子だ。心底、そう思った。

「待たせてごめんな、佐紀。きょうのことは、オレのほうからお母さんにご連絡しておくから。朋典のこと、よろしくな」

プールの水が入ってしまったようになっている耳で、ぼんやりと久和先生の声を聞く。

ちゃんとうなずくことができたのかどうかも、わからなかった。

家にもどると、お母さんが玄関の前でうろうろしながらわたしと朋典の帰りを待っていた。

「あ……お母さんだ」

お母さんに気がついた朋典が、わたしのシャツの袖(そで)をぎゅっとにぎってきた。いつものわたしなら、やめてよ、と払(はら)いのけていたかもしれない。だけど、そうはしなかった。朋典がいま、本当に弱ってしまっているのがわかっていたからだ。なにより、久和先生と百瀬さんがしていたように、わたしも朋典にやさしくしてみたかった。

「だいじょうぶだよ。久和先生、連絡しておいてくれるっていってたでしょ」

「うん……」

朋典は、わたしのうしろにかくれながら、のろのろと歩いている。

家の前までいくと、お母さんはまず、「朋典、お母さんにいうことあるね?」といった。朋典は、早くも嗚咽(おえつ)がこみあげてしまっているようで、うぐ、とか、あう、とかいうばかりだ。

「お母さん、トモね、ちゃんと百瀬さんにあやまってたよ。久和先生にも、しちゃいけないって注意されてることはもうしないって約束してた。すごく反省してると思うよ」

わたしがそう助け舟(ぶね)を出すと、お母さんはちょっとびっくりしたような顔をしながら、朋典の頭を手のひらで大きくなで回した。

「お姉ちゃんのいったこと、ホント?」

朋典が、うんうん、とうなずく。

「ちゃんとあやまったのね?」

うんっ、と大きくうなずいた朋典に、お母さんはやっと、いつものやさしい顔を見せた。

「よし、じゃあ、おうち入ろう。おなかすいたでしょ?　ふたりとも」

朋典の背中を押しながら歩きだしたお母さんが、ちらっとわたしのほうをふり返って、こそこそっとささやいた。

「ありがとね、佐紀。佐紀がいっしょにいてくれて、本当によかった」

目の奥が、ぎゅうっと痛くなった。

ちがうんだよ、お母さん、と思う。

わたしはただ、久和先生と百瀬さんの真似をしただけなんだから。

人の気持ちを思いやることができる人たちの、真似をしただけなんだよ……。

それでも思う。朋典がわたしのシャツの袖をにぎってきたとき、ふり払わなくてよかったたって。

お姉ちゃんらしいことができて、本当によかったたって。

わたしはお母さんに気づかれないよう、シャツの袖口で、こっそり目もとをぬぐった。

3

髪型を変えてみよう——。

久々に地獄に落ちて、こんなのはもう無理だ、と思いながらも、おそるおそるいつもの毎日を過ごしているうちに、ふと、そう思いたった。

それはつまり、気がつけば日常がもどってきていた、ということだ。

どんな髪型にしようかな、と久しぶりに浮かれた気分にもなっていたわたしは、学校から家へもどるなり、いきつけの美容室へと向かった。

少しだけ、新しいことに挑戦してみたいような気分になっていたのだと思う。だから、髪を切りにいった。それが、こんな最悪な事態を招いてしまうだなんて思いもせずに。

あごくらいの長さのショートボブにしてもらうつもりだったのに、全体的にひどく短くされたわたしの新しい髪型は、思いがけなく上原沙希さんの髪型そっくりになってしまっていた。もちろん、わざとじゃない。美容室のおばさんが勝手にしたことなんだから。でも、クラスのみんなはきっとそうは思わない。上原沙希の真似をしたんだ、とうわさされるに決まっている。まちがいなく。

わたしはまた、地獄に落ちた。お母さんは、あら、いいじゃない、とほめてくれたし、お父さんにいたっては、かわいくなって帰ってきたなあ、なんてことまでいっていたけれど、そんなのはなんのなぐさめにもならない。クラスのみんなにどう思われるのか。わたしにとってはただそれだけが、この新しい髪型の成否を決める基準なのだから。

やってしまったことを、延々と悔やみつづけるだけの時間。あれがまた、はじまっていた。今度こそ、もう無理だ。どうがんばっても、耐えられそうにない。わたしは仮病を使って、週末前の二日、つづけて学校を休んだ。

そして、日曜日。

ぬるま湯のような家族四人での昼下がりを過ごして、そろそろ夕飯の支度でもしようか、とお母さんが腰をあげたのをきっかけに、駅前の本屋さんにいってくる、といってわたしは家を出た。

少しでも早く髪が伸びるようにと、お風呂に入るとき以外は寝るときも、頭のあっちこっちをへアゴムで引っつめて我慢してきたというのに、髪をおろして鏡に映るわたしは、相変わらずニセ上原沙希のままだった。

髪型を変えて、新しい自分になる。ほんの数日前のあのキラキラした気持ちが、まるでうそのようだった。どうして髪を切ろうだなんて思ってしまったんだろう。どうしていつものように、毛先をそろえるだけにしてくださいっていわなかったんだろう。

余計なことをすると、たいていおかしなことになる。わたしはいつだってそうだ。なにひとついい方向に向かったためしがない。

憂鬱な気分のまま、自然と足があの坂へと向かう。

両側を立派な門構えの家にはさまれた、ゆるやかな傾斜の坂道。ここをのぼり切ると見えてくるあの家だけが、やっぱりいまのわたしのすべて……。

門をくぐって、荒れた庭を進む。枯れた芝と、ところどころがむき出しになった黒土の上に置かれた飛び石は、無数についた足跡で汚れている。この足跡の中にはきっと、奈良くんのものもあるはずだ。

そう思うと、ただ石を踏むという行為が、急に意味のある行為に変わる。

わたしは一歩進むごとに、どうか奈良くんがわたしを好きになりますように、と途方もないことを念じながら歩いた。

玄関の扉は、当然のように閉まっていた。塾の授業がないときに、むやみに扉を開けておく理由なんてもちろんない。もちろんないのだけれど、わたしはなんとなく打ちのめされた気分になった。

閉ざされた扉に、そっと手を触れる。

つやつやとした飴色の扉。

この扉は、わたしとなにかをへだてているものだ、と不意に思った。

わたしが焦がれているものが、この扉の向こう側にあるような気がする。奈良くんが、久和先生が、百瀬さんが、そして、上原沙希さんまでもが、この扉の向こう側の人なんだ、きっと。

手を添えた扉に、今度は片方のほおを押しあててみた。なんとなく、そうしてみたくなっただけ。それ以上の意味なんてなかった。だから、思いがけなく話し声が聞こえてきた瞬間、わたしは飛びのくようにして扉から離れた。

いつもの教室に、誰かがいる。

思わず、カッとなった。

いま、わたしの目の前にあるこの扉は閉ざされているのに、ほかの誰かのためになら開いたんだ、と思った。招きいれられた誰かがいま、久和先生といっしょにいる。そのことが、どうしようもなく悔しかった。

カッとなった頭のまま、わたしはドアノブに手をかけた。ほんの少し力を入れただけで、簡単にノブが回る。鍵が、あいていた。

少しだけ迷ったあと、わたしは足音を忍ばせながら、扉のすきまに体をさし入れた。

❖

「自分でもどうしようもないんや。気がつくと、あの男のことを考えとる。憎い、思うとる。こんなん、しんどうてしんどうてしょうがない。どうしたらいいんや、寿お兄。なんとかしてくれ」

カタ。

カタカタ、カタン。

カタン。

椅子の脚が、床をこづいては離れ、こづいては離れ、をくり返す音。

カタン。

カタッ。

カタ、カタン。

いらだった気持ちが、そのままリズムになって床をはじいているような音。

「人を憎らしく思う気持ちって、そういうもんでしょ。なにひとついい方向に向かうことのない、負のエネルギーっていうのか、やたらと自分を疲れさせるだけで、なーんにもいいことのないもんなんだよな。でもさ、早い時期に身をもってそれを知ったんだから、おまえは大人になってから楽できるよ」

カタ。

カタ、カタン。

カタカタタ、カタン。

長い沈黙。

カタ。

カタンッ。

「……そんなんは、歳いってからしみじみ思うことやないか。いまや。オレは、いま苦しいのがたまらんの！　いますぐ楽になりたいんや」

カタ、カタタ、カタ。

カタン。

カタタ、カタン。

「……ガキんころからずっとツレやった連中とだってもう会われへん。東京なんかきたなかったわ。でもなあ、なにがいややって、父親のことばっかり考えて、どす黒い気持ちで頭ん中いっぱいにしとる自分がいちばんいややや。いやでいやでしょうがないんや」

ガタンッ。

乱暴に、椅子(いす)の脚(あし)が床(ゆか)に落とされた音。

沈黙が、長く長くつづく。

「なあ、比佐弥(ひさや)」

「なん」

「苦しいときはさ、苦しくってもしょうがないんだよ、とオレは思う。苦しいのはいやだからって適当にやり過ごしてたら、すかすかの人間にしかなれねえもん」

「先のことなんか知るか。オレは、いますぐ楽になりたいんや……」

「おまえはいま、どうしようもなく苦しい。なにをどうすることもできなくて、ただ闇雲(やみくも)に苦しんでる。そうだよな、比佐弥」

「さっきからそういうとるやないか」

「おまえはな、ひとつ取りこんだんだよ、比佐弥。どうにもならない苦しい気持ちっていうものを、おまえは理解した。これから先、誰かがおまえに、どうしようもなく苦しいんだ、と訴えてきたとき、おまえは手に取るように、その苦しい気持ちをわかってやることができる」

「だから……そんな先のことなんか、いまはどうでも……」

「はっきりいうぞ」

物音ひとつしない、真空パックされたような静寂。

「いいか、比佐弥。オレはおまえになにもしてやれない。自分の父親を憎いと思う気持ちは、おまえ以外の人間がどうにかしてやれるようなことじゃないからだ。でもな、オレもいま、苦しい。おまえの苦しい気持ちを想像して、ああ、わかる、それは苦しいな、と心の底から思って、いっしょになって苦しい気持ちになってる。これ以上のことがあるか？　オレはいま、おまえのために、どうしようもなく苦しいんだぞ？」

「寿お兄も……苦しいんか？」

「そうだ。オレもいま、苦しい気持ちでいっぱいだよ。いろいろな事情はあったにしろ、結果的に姉ちゃんを捨てようとしてる義兄さんに対する怒りもあるし、そんな現実をいきなりつきつけられた姉ちゃんがかわいそうでしょうがないって気持ちもある。けどな、おまえが苦しんでるすがたを見てるのが、やっぱいちばんしんどいわな。だっておまえ、まだ十四なんだもん。家のことなんかにわずらわされないで、自由にさせておいてやりたいって思うよ」

「かわいそうにって思おとるんや、オレのこと」

「あのなあ、オレがおまえをかわいそうに思ってなにが悪い？　オレはおまえのたったひとりの叔父だぜ？　オレがおまえをかわいそうと思わないで、誰がおまえをかわいそうだと思うんだよ」

「かわいそうとか、そんなん、ただの同情やないか」

「馬鹿。いいか、比佐弥。本気でそいつのことを考えてる人間は、いくらでもかわいそうがっていいんだよ。それは、愛情なの。同情なんかじゃねえの」

　また、沈黙。

　今度の沈黙も、長い。

「……寿お兄、熱くなりすぎやし」

「ははっ」

　からりとした、笑い声。

「とにかく、もう少しがんばれって。オレも、がんばるから。毎日毎日、おまえのことばっかり考えててしんどいけど、がんばるから。な」

「やめろや、そのいい方。きしょいわ」

「きしょいって、おまえ」

うはは。

うははは……。

陽気な笑い声が、つづく。

その笑い声にかぶせるようにして、少しだけおだやかになった奈良くんの声が、聞こえてきた。

「さっきな」

「うん？」

「東京なんかきたなかった、いうたけど、寿お兄の近くに住めるんは、ホンマはちょっと楽しみやった」

「そうか」

「うん」

「そしたら、もっといろんなとこつれてってやんないとな。国会議事堂もいってないんじゃないか、おまえ」

「なんで国会議事堂？」

「東京の子は遠足でいくんだよ、国会議事堂」

「ホンマかそれえ」

うはは、うはは……。

「……別に、どっこもいかんでええよ。オレ、ここ好きやし」

「好きか、ここ」

「うん、好きや」

「そうか……」

◇

その夜、布団にもぐりこんでからも、わたしはまだ興奮していた。

盗み聞き、という行為を犯してしまったことに対する罪悪感はまるでなく――そもそも、わたしの盗み聞きは、今回がはじめてではない。前にも一度、奈良くんの鼻歌を聞いてしまっている――ただただ、あの会話を耳にすることができたよろこびに、ぴりぴりとした甘いしびれに、全身が包まれつづけていた。

あの扉は、奈良くんのために開かれたもの。そして、久和先生のあの無償の手もやっぱり、奈良くんに向かってさし出されたもの。

わたしのためのものなんてなにもなくて、わたしは、たまたま見つけたすきまからちょろちょろと入りこんだ鼠のような存在でしかなかったけれど、あの扉の向こう側をほんの少しだけ、のぞくことができた。あんなふうにさし出される手が、この世の中にはあるのだと知ることができた。

わたしはいま、自分が変われるような気になっている。なんの根拠もないのに、あしたからのわたしは、きのうまでのわたしではない、と信じきっている。

今度こそ、だいじょうぶだ。きょうという日を境に、わたしは変わる。もう二度と、惨めな思いなんかはしない。顔をあげて、うれしい気持ちや楽しい気分を胸いっぱいに吸いこみながら生きていく。そんな人間に、あしたからはきっとなれる。

久和先生は魔法使いだ。盗み聞きの鼠にまで魔法の粉がかかるほどの、強大な力を持つ魔法使い。

あしたはちゃんと学校にいこう。

わたしは、髪を切って以来つけつづけていた頭のヘアゴムを、その晩は取って眠った。

教壇側とは反対の戸口から、わたしは教室に入っていった。

いつものように下を向いたままではない。ちゃんと顔をあげて、まっすぐ前を向いて、窓際から二列目、うしろから三番目の自分の席まで歩いていった。

上原沙希さんを取りかこむようにして輪になっていた子たちが、一瞬、ざわついたような気がして、どきっとなった。自分で自分にいいきかせる。だいじょうぶ。気にするから気になるだけだ。だいじょうぶ。

「おはよう、関口さん。なんだかすっごく久しぶりな感じ」

わたしが席に着くなりまっ先に声をかけてきたのは、学校行事なんかでチームを組むときだけおたがいに声をかけ合う、とりあえずは同じグループの君嶋さんだった。

吹奏楽部でホルンを担当している君嶋さんは、縦にも横にも体の大きな人で、そういう意味ではとても目立つ人だ。だからといって、その存在そのものがクラスの中で際立っているわけではなく、やっぱり、いまひとつぱっとしないグループの中のひとりでしかなかった。加えていえば、どこか人を馬鹿にしたような話し方をするため、仲間内でもあまり好かれていない。

「風邪でもひいてたの？」

机のはじに両手をついて身を乗りだしてきた君嶋さんは、なぜだか妙にニヤニヤしながらわたしの顔を見ている。わたしは顔をそむけながら、ちょっとね、とだけ答えた。君嶋さんは、なおも立ちさろうとはしない。

「ねえねえ、関口さん。その髪型って、上原さんの真似したの？」

どきんっ。

心臓が、いきなり動きを速める。

だいじょうぶだって。そんなことないよって、明るくいえばいいだけのことだ。

「そんなこと……」

途中までいいかけたところで、上原さんのまわりにいた子たちが、ぞろぞろとわたしのほうへ向かってくるのが目に入った。

どきん、どきん、どきん……。

「関口さんさあ、なんでそういうことするわけ？」

わたしの真正面に仁王立ちするなり、いきなりそんなふうに切りだしてきたのは、上原さんといちばん仲のいい成島さんだった。

上原さんやほかのクラスメイトからは、ナル、と呼ばれている。軟式テニス部に所属していて、足が速くて、去年の体育祭ではリレーのアンカーもつとめた。男子にも人気がある。文句なしの目立つ人だ。

「そういうこと……って？」

わたしは着席したまま、おずおずと顔をあげた。

見上げた成島さんの顔の両わきには、やっぱり上原さんと仲のいい、石毛優香さんと石毛晴美さんの顔があった。名字が同じふたりの石毛さんは、それぞれ名前で呼ばれている。もしも名字がちがっていても、上原さんと友だちのふたりなら、きっと〈石毛さん〉とは呼ばれていなかっただろうな、と思いながら、自分のまわりをかこんできた人たちの顔をぼんやりと見上げた。

そこにはもう君嶋さんの顔はなく、わたしはたったひとりで、まわりを取りかこまれるかっこうになっていた。あまりの事態に、うまく呼吸ができなくなってくる。

「とぼけるのよしなよ。よく平気で人の真似するよね」

あからさまに荒い口調で応じたのは、ユウカのほうの石毛さん。そのすぐあとに、ハルミのほうの石毛さんがつづけた。

「すっごく感じ悪いよ。どう見たって、沙希の真似じゃん、その髪型」

どきん！

いわれてしまった、おそれていたことを。みんなの見ている前で、はっきりと。奈良くんもいる、この教室の中で。

通路をはさんだななめ前にある奈良くんの横顔が、急にぼやけて見えた。

「ちょっともう、やめようよ、みんな。どんな髪型したっていいんだし、第一、似てないって。ごめんねえ、関口さん」

わたしを取りかこんでいた顔の向こうから、上原沙希さんがこまりきった顔をのぞかせた。いきなりあやまられてしまったわたしは、あわてて首を横にふる。

まだ納得していない様子の成島さんが、だってさあ、というのに対して、上原さんは少しだけ怒ったように、「もういいから」といい返すと、成島さんの手を引いてわたしの席から離れていった。

ふたりの石毛さんも、しぶしぶなのが丸わかりな顔をしてそのあとにつづく。残されたわたしのすぐうしろから、くすくすと笑う声が聞こえてきた。

「あれは怒るよお」

「よりによって、沙希の真似はねえ」

「ふつう、やんないよ」

「よっぽど自分に自信がないと無理だよね、あの髪型はさ」

うしろの席は誰だっけ？

思いだせない。

頭の中がぐつぐつと煮立って、自分がいま、どこにいるのかもわからなくなりそうだった。

くすくすくす。

わたしを笑う声。

くすくす。

くすくすくすくす……。

わたしをあざける声。

始業のチャイムがどこかで鳴っている。

教室から飛びだしていく勇気もないわたしは、かたく背中を丸めながら、机の中からそうっと、そうっと教科書を取りだして、授業がはじまるのを待った。

このまま消えてしまいたい——。

わたしは、自分の存在の消去を願った。

どんなお願いごとをしたときよりも、強く。

「帰ろう、関口さん」

ななめうしろからかかった峯田さんの声に、知らず知らずのうちに詰めていたらしい息を、ほうっと吐きだす。

休み時間は、ずっと教室の外にいた。

校舎の裏庭。図書館前の廊下。体育館へとつづく渡り廊下の陰。

人目につかない場所を選んで身をひそめていてもなお、息をするだけで全身に毒が回るような空気に包まれたまま、それでもなんとか下校時間を迎えることができた。

教室を飛びだしていって余計な注目を浴びるくらいなら、ひたすら時間が過ぎるのを我慢して、我慢して、いつもどおりにひっそりと下校するほうを選ぶ。

英語の授業で失態をさらしたときとまったく同じだ。

結局、わたしはそういう人間だった。

まだ耳に残るくすくす笑う声に急きたてられるようにして、わたしは、峯田さんと教室を出た。

ひとりじゃないのが、本当に救いだった。峯田さんでいいから、地味で目立たない峯田さんでもいいから、友だちでいてよかった。心から、そう思った。

肩をならべて校門を出てすぐ、それまでずっと黙りこんでいた峯田さんが、その顔をふっとわたしのほうに向けて、いきなり話しかけてきた。

「本、読んでくれた？」

またその話か、と思う。

一度も開いていない、峯田さんが貸してくれた本。一方的に押しつけてきたくせに、やけにしつこく感想を聞きたがる。

わたしの新しい髪型のことも、その髪型のせいでいやな思いをしたことも、峯田さんにとってはどうでもいいことなのだろうか。まるで関心のないことなのだろうか……。

いらだった気持ちのまま、吐きすてるようにわたしは答えた。

「読んでない。っていうか、多分、読まないよ、あの本」

峯田さんは、わたしの返事に驚いたようだった。顔も向けないわたしの横顔を、すぐとなりからまっすぐに見つめてきている。

見つめられていることに気がついていながら、わたしは正面を向いたまま、その視線に応じもしなかった。一刻も早く学校から離れるため、ひたすら前へと前へと足を進めつづける。

となりにあった峯田さんの気配が、ふっと消えた。いらいらしながらふり返る。峯田さんはまだ、わたしの顔を見つめたままだった。

「どうしたの、早く帰ろう」

わたしはやっぱり目も合わせずにそういって、さっさと前に向きなおろうとした。ななめによじれる途中だったわたしの背中は、そこで凍りつくことになる。

「関口さんっ！」

ほとんど叫ぶように、峯田さんがわたしを呼んだからだ。

「なっ、なによ……」

わたしは多分、このときはじめてちゃんと峯田さんの目を見た。レンズの奥の、よく見ればぱっちりとした大きな目が、射貫くようにわたしを見ていた。

「あなたは最低な人だと思う。人から馬鹿にされることには敏感で臆病なくせに、人を馬鹿にするのは平気なのね」

わたしは、あっ、と声をあげそうになった。

足先から頭のてっぺんまでを、痛みにも似た寒気が駆けぬけていく。そのあとには、ひざから崩れてしまいそうなほどの脱力感だけが残った。

峯田さんはまだ、わたしを見ている。

亡霊のようにその場に立ちつくしながら、わたしはゆっくりと理解していった。

こんな地味な人としか友だちになれないなんて、とか、わたしと峯田さんなら見た目はまだわたしのほうがマシかな、とか、そういうすすけた思いのすべてを、峯田さんは知ってしまったんだ、と。

「わたしは、自分の存在をクラスのみんなに必要とされない痛みがわかるから、同じ痛みをわかち合うことをきっかけにして、関口さんとはいい友だちになれると思ってた。だから、いっしょにいた。でも、あなたはちがうのね。ほかに仲よくなれそうな人がいないから、仕方なくわたしといっしょにいるだけなのね。そんなの、ひどすぎるでしょう。わたしのことを知ろうともしないで、勝手にわたしを馬鹿にしないで！」

いつもはささやくようにしゃべる峯田さんが、通りすぎていく下校中の誰もがふり返るような大きな声を出して、いま、わたしを裁いている。

自分という人間の最も暗くて深い場所を、容赦なくえぐられる痛み。

くすくすと笑われたときなんかとは比べものにならない。この痛みは、わたしから意識を奪う。まるで死のように、わたしの魂を肉体から引きはなしてしまう。

峯田さんは、わたしのすぐ横を走りぬけていってしまった。

全身の皮膚がぴりぴりとしびれているのを感じながら、わたしはのろのろとふり返った。まるで力の入らない足で、歩きだす。少しでも強く足を踏みだしたら、地面が割れてどこまでも落ちていくような気がした。おそるおそる歩くわたしを、無関心な背中がいくつもいくつも追いぬいていく。いっしょに帰る人もいないのかと思われてるんじゃないだろうか。それだけはいやだ。どうにかして、〈きょうはたまたま〉だと思わせることはできないかな——いつものわたしならまっ先に考えているはずのことが、いまはまったく気にならない。

死後の膿んだ体を引きずるようにして、わたしは歩きつづけた。

❖

その若い消防士は、幼いころから消防車が大好きな子どもだった。

父親はふつうのサラリーマンだったにもかかわらず、物心つくかつかないかのころから消防車の出てくる絵本ばかり読みたがり、ちらっとでもテレビに消防車が映れば、画面の前に張りついて離れようとはしなかった。外出すれば消防車が近くを通らないかと気もそぞろで、休みの日には決まって父親に、近所の消防署につれていってほしいとせがむ始末。

ひとりで外を出歩けるようになってからは、「お宅の息子さんがまた、うちの車庫に入りこんでいました」という連絡がしょっちゅう消防署から入るようになり、息子の首にペットの散歩用のリードをつけておこうかと母親が本気で悩んだほどの熱中ぶりだった。

まっ赤な消防車が大好きで大好きでしょうがなかった少年は、いつしか命を懸けて人々を救う消防士という職業そのものに魅了されていき、ごく自然に消防士を目指すようになる。

大学にいってふつうの会社勤めをしてほしい、と願っていた両親との衝突もあったが、高校卒業後、念願かなって消防士となり、みずからの青春を人命救助に捧げる日々がはじまった。

なんの迷いも不安もない、充実した毎日。

そんな彼を悲劇が襲ったのは、消防士になって四年目のことだった。

軽い体調不良だと思い、なにげなく受けた診察で発見された血液の異常。再検査の結果、現行の医療では治癒の見こみのない難病に侵されていることが判明した。

彼はその事実を、誰にも明かさなかった。家族にも、職場の仲間にも。一日でも長く、消防士として生きたかったからだ。

難病に侵された事実を周囲の人間に知られないよう必死にかくしながら、職務に励む日々。

病気が進行し、次第に体が弱っていく中、ある大惨事への出動が命じられる。体はすでにぼろぼろで、なかば気力だけで持ちこたえているような状態ながら、彼はその現場で多くの命を救う。

人々がよろこびの涙にむせぶ中、みずからの肉体の限界を悟った若い消防士は、最後の力をふりしぼって、子どものころから憧れつづけてきた消防車のもとへと向かった。

生還をよろこび合う人々の声。使命に燃える仲間たちの覇気に満ちた声。希望の所在を示すような力強いサイレンの音。

まだあどけなさの残るその口もとに淡い笑みを浮かべながら、若い消防士はそっと息を引きとる。

大好きな消防車の陰で、誰にみとられることもなく、ひっそりと。

◇

家には帰らず、図書館で、朋典を迎えにいくまでの時間をつぶした。

峯田さんから貸してもらったきり放ったままにしてあった本を、さがして読んだ。

難病に侵された若い消防士の話。

実話だった。

涙が止まらず、トイレに駆けこみ、声をあげて泣いた。一生の中で、あれだけ激しく感情を高ぶらせて、喉が痛むほどに泣いたのははじめてだった。

彼の生きざまに涙し、あとになって彼の病気のことを知ったまわりの人々の思いに涙し、なにより、その本をわたしに薦めてくれた峯田さんの気持ちを思うと、泣けて泣けて仕方がなかった。

きっと、峯田さんも泣いたんだ。心を震わせて、泣いたんだ。だから、わたしにも薦めた。いっしょに感動を味わうために、そのために、あんなにも熱心に薦めてくれたんだ。

それをわたしは……。

まだおさまらない嗚咽をつれたまま、わたしは《科学と実験の塾》に向かった。

大きな深呼吸をくり返すことで、どうにかして呼吸を整えようとするのだけれど、ほんの少しのすきをついて、すぐにまた喉の奥から新しい嗚咽がこみあげてくる。

結局、坂をのぼりきるまでずっと、わたしはぐずぐずと泣きつづけた。

いつもより少し遅れたために、ほとんどの塾生たちとは坂の途中ですれちがった。教室に残っているのはもう、朋典と百瀬さん、久和先生の三人だけにちがいない。奈良くんも、もう帰ったころだ。

教室の扉を開くと、思いがけず奈良くんのうしろすがたがまっ先に視界に飛びこんできて、ぎくりとなった。泣きはらした目を見開いて、わたしはその場に立ちすくんでしまう。

奈良くんは、実験道具が雑多に散らばったままの細長いテーブルのはしに浅く腰かけて、ホワイトボードの前にいる朋典、百瀬さん、久和先生に向きあっていた。

「おー、やっときたか。どうした、佐紀。きょうは遅かったな」

久和先生が、いつもの調子で話しかけてくる。まるで実の親戚のお兄さんのような、親しげな態度こそが自然だろう？　というような、そんな調子で。

その声を耳にしただけで、やっと収めた嗚咽がもう、もどってきそうだった。

「すみません。ちょっと図書館に寄っていたので」

教室の中には足を踏みいれず、朋典に向かって手招きをする。

「帰るよ、トモ」

朋典は、わたしの様子がおかしいことを敏感に察しでもしたのか、気持ち悪いくらい素直に駆けよってきた。

「クワチン先生、百瀬さん、比佐弥くん、さようならー」

わたしのとなりにならんで、元気よく頭をさげる朋典にならって、わたしもぺこりと会釈をした。

そのまま体の向きを変えて、玄関へと向かう。

靴を履きおえて、外に出ようとしたときだった。

「途中まで、いっしょに帰ってもいい？　ちょうどわたしもいま、あがったとこなの」

ひょいとスニーカーを引っかけながら、百瀬さんがわたしたちふたりのあいだに飛びこんできた。
あからさまにうれしそうな顔をして、朋典がちらっとわたしを見る。その瞬間、朋典の笑顔はひゅっとしぼんだ。

その顔の上を通りすぎていった、素直すぎるほど素直な感情の移りかわりを目の当たりにして、わたしは思わず、ああ、と深いため息をついてしまった。

朋典は、気がついているんだ。わたしが百瀬さんをよく思っていないことに。

自分は百瀬さんといっしょに帰れるのがうれしい。でも、姉ちゃんは……という葛藤の陰が、朋典の伏せた目のあたりで揺れていた。

「別に、いいですけど。方向、いっしょですもんね」

顔はそっぽを向いたままだったけれど、それでもなるべく自然に、わたしはそういうことができた。

本当は、ちゃんと目も合わせていいたかったけれど……。

「ホント？　よかったあ。最近すっかり日が暮れるの早くなったじゃない？　この辺は特に暗いから、ひとりで帰るのもちょっと心細いかなって思って」

歩きだした最初は、わたしと朋典のあいだに百瀬さんがはさまった状態だったのに、朋典が飛び石のひとつに向かっていきおいよく飛びだしていったせいで、わたしと百瀬さんがならんで歩くことになってしまった。

くるっと顔だけ横に向けて、百瀬さんがいう。

「関口さん、髪の毛切ったのね」

「あ、はい……」

いきなり髪型のことをいわれたせいで、それまですっかり忘れていたあしたからの学校のことが急に気重になって、わたしは顔をうつむかせた。

「短いほうが、似合う。顔がはっきりして見える感じ」

「えっ？」

百瀬さんにそんなふうにいわれるまで、新しいこの髪型が、自分に似合っているのかいないのかなんて、そんなことはまったく頭になかった。

ただただ、上原沙希さんの髪型に似てしまったことに動揺するばかりだったからだ。

「似合って……ますか？」

「うん。似合ってると思う。あ、でも、そうだなあ、もう少しうなじのあたりがさっぱりしてると、なおいいかも。関口さん、頭の形も顔の形も、すっごくキレイだから」

群青色の夕闇の中、久和家の玄関先から漏れだした明かりに、あざやかに笑った百瀬さんの顔が浮かびあがるようだった。

「百瀬さん……わたし」

「うん？」

いつのまにか、足が止まっていた。

すぐ横にいる百瀬さんに、体ごと向きあう。百瀬さんも、様子をうかがいながら、わたしのほうに体の正面を向けてくれる。向かいあった瞬間、わたしは、はじかれたように泣きだしてしまっていた。

「どうすればっ……百瀬さんみたいになれますかっ……」

そうだ。

わたしは百瀬さんが憎かったんじゃない。

焦がれたんだ。

百瀬さんみたいな人になりたくて、でも、なれなくて、そのじりじりした思いを憎しみだと思いこんだまま、百瀬さんに気持ちを寄せていた。

「関口さん……どうしたの？　なにかあったの？」

顔をうつむかせたまま泣きじゃくるわたしの肩に、百瀬さんがそっと触れてくる。わたしは泣き顔を見られるのがいやで、曲げた腕の内側に、目もとを押しつけた。

「ねえ、関口さん……わたし、関口さんからそんなふうにいってもらえるような人間じゃないと思うよ？　でもね、そんなふうにいってもらえるなら、関口さんのこと、佐紀ちゃんって呼んでもいいかなあ」

わたしは驚いて、曲げた腕の内側にしずめていた泣き顔をあげた。百瀬さんは、恥ずかしそうにくちびるを歪めていた。

「わたし、子どものころはあんまり上手に友だちとつきあえる子じゃなかったから、勝手に名前を呼び捨てにしたり、ちゃんづけで呼んだりするのが、いまだに苦手なの。馴れ馴れしいって思われるんじゃないかって心配で。大人のくせにおかしいよね。でも、こればっかりはなかなか克服できなくて。だから、久和先生が佐紀って呼ぶの聞いてて、いいなあ、わたしも佐紀ちゃんって呼びたいなって思ってたんだ」

「そんなの……いいに決まってるじゃないですか」

嗚咽まみれのわたしの返事に、

「いいの？　うれしい！　なんか名前で呼ぶのって、仲よくなった証明みたいでうれしいよね」

うれしそうに、本当にうれしそうに百瀬さんが笑うから、わたしはますます気持ちが抑えられなくなってしまって、それこそ、おいおいとしか表現しようがない泣き方で、泣いた。

「おーい」

どこからか、久和先生の声。

「おーい」

久和先生の声だ、と頭のどこかでは思うのだけれど、泣きに泣いているわたしは、応じようもない。

「おーいって」

今度の呼びかけには、百瀬さんが答えた。

「はあーい」

「人んちの庭で女の子泣かすのはよしてもらってもいいですかあ」

「はーい、すみませーん」

「そこはご近所に迷惑ですから、できればうちの中でやってくださーい」

やっと顔をあげたわたしは、薄闇にしずみこんだ久和家の外壁の中で、そこだけこうこうと明るい教室の窓に目をやった。

窓から身を乗りだしている久和先生と、そのかたわらにたたずんでいる奈良くん。ふたりとも、逆光効果で体の正面が真っ黒に塗りつぶされている。

わたしはみっともないほど震(ふる)えた声で、それでも精いっぱい叫(さけ)んだ。

「女同士の話し合いにー、口をはさまないでくださあーい」

久和(くわ)先生の笑い声。

百瀬(ももせ)さんも、笑った。

わたしの発した言葉でふたりが笑ってくれたことがどうしようもなくうれしくて、わたしも笑った。まだ嗚咽(おえつ)が残っていたせいで、泣き笑いだったけれど。

奈良(なら)くんは――。

奈良くんが笑ったかどうかは、わからなかった。

百瀬(ももせ)さん

1

百瀬さんは、《科学と実験の塾》の助手の仕事以外にも、和風創作料理のお店で和服ウエイトレスのアルバイトもしているのだという。

まるまる一日お休みの日は、週に一度しかないらしい。ふつうの会社勤めをしている女の人よりも休みが少ないいんじゃないだろうか。ちょっと働きすぎな気がする。

すぐ目の前を歩いている奈良くんが、ぼそっといった。

「百瀬さんのだんなさんって、働いとらんのかな」

うしろすがたの奈良くんは、色の濃いジーンズに、グレーのパーカを合わせている。凝りすぎてはいないけれど、センスは充分に感じさせる私服すがたは、奈良比佐弥という男の子そのもののようだった。

奈良くんのすぐ横を歩いていた久和先生は、さあねえ、と軽い調子で答えた。

「百瀬さん、自分がどれだけだんなさんを愛してるかってことは大いに語ってくれるくせに、くわしい人物像とかはまったく教えてくれないからねえ」

「七つ下やったっけ」

「たしかそう。二十三歳」

「学生かな」

「どうだろうねえ」

「ヤバい系の人とか？」

「ヒモとか？」

「本当は結婚なんかしとらんのに、いい寄られるのが面倒くさいから既婚者のふりしとるだけとか」

「なんじゃそりゃ」

淡々とした、それでいて久和先生と奈良くんにしかできないような濃厚な、うしろで聞いているだけで得した気分になるふたりの会話がつづく。

「百瀬さん、寿お兄のこと警戒しとるんとちがう？」

久和先生と話しているときの奈良くんは、不慣れな様子の関東言葉はいっさい使わずに、なめらかな関西弁でしゃべる。

「だから、いろいろ偽装しとるのかもしらんな」

「なんで。オレ、そんなにギラギラしてないでしょ」

「それが逆に、この人、急に結婚してくれっていい出しそうで怖い、みたいに思われとるのかも」

「……おまえさ、比佐弥。オレが百瀬さんを狙ってるって前提で話をしてないか？」

「しとるな」

「即答か」

「だって、好きやんな？」

「教えなーい」

「小学生かっての」

思わずふき出してしまう。途端に久和先生が、その顔をこちらをふり向けた。

「なに笑ってんの、佐紀」

「あ、いえ」

「ほら、そんなうしろにいないで。道、広いんだから。となりおいで」

久和先生に招かれるまま、わたしはその右側にならんだ。久和先生をまん中にして、奈良くんともならんだ状態だ。

わたしたちは歌舞伎町を背にして、靖国通りを伊勢丹方向に向かって歩いていた。新宿三丁目のはずれにあるという、百瀬さんのバイト先に向かっているところだ。

週のはじめの塾終わりに、一度みんなで食べにおいでよ、と百瀬さんがいってくれたので、それじゃあ、とばかりにさっそく、久和先生と奈良くん、わたしの三人で、和風創作料理のお店に食事をしにいくことになったのだった。

すんなり話が決まったせいもあって、奈良くんといっしょに食事にいく、という一大事にも、そのときはそれほど興奮もしなかったのだけれど、実際に体験してしまえば、それはもう大変なくらいに胸が高鳴るのだろうと思っていた。

それが、どうしたことかいまのわたしは、拍子抜けするくらい冷めている。

それは多分、気がついてしまったからだ。奈良くんもまた、久和先生と同じ人を目で追っていることに。

気がついた、というのは正しくないかもしれない。うすうす感づいていたのを、ようやく認めた、というところだ。ずいぶん前からわたしは、奈良くんの視線のいき先くらい、ちゃんと知っていた。

不思議と胸は痛まない。逆にほっとしているくらいだった。

人妻である百瀬さんとならその恋が成就することはないから、なんて意地悪な思いからの安堵ではない。そういうところまでは、頭が回っていない。ただ、奈良くんが百瀬さんのような人に魅了される男の子だった、ということが、うれしいだけなのだと思う。

ごく自然に相手を思いやることができて、自分の都合で不機嫌になったり、つまらなそうな顔をしたり、なんてことは絶対にしない人。

そういう人を好きになる奈良くんは、かわいいだけのアイドルやクラスの人気者にしか目がいかない平凡な男子たちとは、やっぱり次元がちがうんだなー、と思わず感心してしまったほどだ。だから、わたしがそのことで落ちこむことはなかった。

なによりいまのわたしはほかのことで頭の中がいっぱいで、こうして奈良くんといっしょに歩いていても、どこか上の空なのだった。

クラスの中での居心地の悪さはいまも相変わらずで、そろそろ二週間近く経つというのに、いまだに成島さんやふたりの石毛さんたちは、汚いものを見るような目をわたしに向けてくる。

たまたまわたしとトイレでいっしょになったりすると、わざわざ入ってくるのをやめて、わたしが出てくるのを廊下で待っていたりもする。わたしと入れちがいで中に入っていった成島さんたちが、中に入った途端、派手な笑い声をあげるのを聞くのは本当につらい。吸いこむ空気だけで、じわじわと死んでいくような毎日だ。

それでもわたしは、学校を休むという切り札にだけは、まだ手を出していない。それに手を出してしまったら、本当にもう引きかえせなくなってしまう、という確信があった。だから、登校だけは毎日している。授業にも出て、給食も食べて、ホームルームもちゃんと終えてから、学校を出る。

ひとりきりで過ごす学校は、まるでなにかの刑罰を受けているようなものだった。わたしの中に罪の意識に近い思いがあるから、余計にそんなふうに思うのかもしれない。わたしはいまも、峯田さんのことを考えつづけている。

成島さんたちの態度は、たしかにわたしを傷つけもするし、いたたまれない思いにもさせるけれど、わたしの胸の奥の深いところにまでは、その痛みは届いていないような気がする。本当にわたしの感情を揺さぶっているのは、多分、峯田さんから突きつけられた別離のほうだ。

峯田さんとは、いまだに口もきいていない。休み時間も、移動教室のときも、下校のときも、おたがいにひとり。結果、一歩引いた状態の、客観的な目で峯田さんを見ることになる。

離れて見る峯田さんは、わたしの知らない顔を持っていた。

峯田さんは、目立つタイプでもなければ、無条件に人から慕われるタイプでもなかったけれど、決して卑屈な態度を取るようなことはしない人だった。目立つことや、人から慕われることだけが人間の価値ではない、とばかりに、常に毅然としてひとりでいた。

わたしはいったい、峯田さんのなにを見ていたのか。わたしはなんて素敵な女の子といつもいっしょにいたんだろう、といまになって思っている。

離れてはじめて知った峯田さんの輝きが、日を追うごとにわたしの中でその明度を増していて、増していくたびに、激しい後悔の念がじくじくとうずく。

峯田さんを失ってしまった――。

いまのわたしは、その痛みに耐えることで精いっぱいなのだった。


花園神社を過ぎ、横断歩道を渡ってさらに数分歩いてから入った裏道に、その店はあった。

「お、高そうだなー、こりゃ」

久和先生がいうとおり、いかにも高そうな門構えの店だった。

ガラスの引き戸をからりと横に引くと、いらっしゃいませえ、という品のいい中年女性の声に迎えられた。

「久和といいますが」

先頭に立った久和先生がそう名乗ると、淡い藤色の着物がよく似合う女将さんらしき女性は、深々とさげていた頭を、はっとしたようにあげた。

「ああ、百瀬さんの！　はい、ようこそおいでくださいました」

ぱあっと女将さんの顔に広がった笑顔を見ただけで、百瀬さんはここでもみんなから愛されているのだな、とすぐに察することができた。

通されたのは、間接照明だけの薄暗い店内のいちばん奥、ふすまで仕切られた個室だった。席まで案内してくれた女将さんが、オーダーは百瀬さんに取りにこさせますから、とにこやかにいって、退室していく。

一枚板の座卓をはさんで、ふすまを背にした久和先生の向かい側に、わたしと奈良くんがならんで座る。ふつうは年上の人が奥に座るものなんじゃないかと思って、久和先生にもそういってみたのだけど、オレはふたりのおまけできたようなもんだから、と入り口に近いほうの席から動こうとはしなかった。

三人きりで使うには、広すぎる部屋だ。

座布団の下はごくふつうの畳敷きではあったけれど、内装そのものは完全な和風ではない。つるりとした質感のまっ赤な壁の上には手書きの英文がほどこされていたり、吊りさがっている照明はオブジェのように複雑な形をしたものだったり、流れている音楽はジャズだったりする。

「もう少し余分に現金引きだしてきといたほうが安心だったかなあ」

久和先生が思わず漏らしたらしいひとりごとに、奈良くんがぼそりと応じる。

「相変わらず、現金主義やし。つうか、自分の分は払うけどな。おかんに金、もらってきてる」

「はあ？　なにいってんのかね、この子は。あ、佐紀。おまえもね、余計な遠慮なんかはしないように」

急に顔を向けられたわたしは、なんとなく姿勢を正した。

「いえ、わたしも母からお金はもらってきてますから」

「えー、そんなこといわないで、いいかっこうさせてよー」

「えっと、じゃあ、それはまたあとで考えるとして……あの……久和先生、ちょっときいてもいいですか？」

いつもはジーンズにTシャツかスウェットをあわせたようなカジュアルな服装ばかりしている久和先生は、めずらしく、黒いジャケットをはおっている。似合っていないこともないような気もするそのジャケットすがたを眺めながら、ずっと気になっていたことを、思いきってたずねてみることにした。

「おっ？　なんでしょう。なんでも質問してちょうだいな」

「久和先生って、その……ほかにお仕事をされていたりとかは……」

久和先生は、「ん？」といって、ちょっと首をかしげてみせた。

「ああ、そうか。《科学と実験の塾》だけじゃ、たいした収入になってなさそうだもんね。うん、あのね、学習教材の問題作成のアルバイトなんかも実はやってんだよねえ。たいして儲かるもんでもないけど、家賃がないから、うち。だから、どうにかなってるよ。独り身だしね」

そう説明すると、久和先生は、にや、と笑った。

「やっぱ怪しいのかな、オレって。受験の役にも立たないような塾の経営なんかしてる時点で」

それから久和先生は、どうして自分がいわゆる学習塾ではなく、《科学と実験の塾》のようなスタイルの塾をはじめたのか、ゆるゆると話してくれた。

◇

オレがまだ小学校の低学年だったころにさ、近所に元大学教授のじいさんが住んでたんだよね。八十歳をいくつか過ぎてて、じっと座ってると、起きてるのか寝てるのかもわかんないような人だったんだけど、そのじいさんが、すごく安い月謝で、近所の子どもに理科や生物を教える家庭教師のようなことをしててさ。

週に一回、たしか木曜日だったな、一回につき二時間、そのじいさんの家に通いだすようになったのはいいんだけど、二時間のうち一時間は、でっかい座卓をあいだにはさんで、世間話をすんのね。で、やっと授業がはじまったと思ったら、ものすごくくだらないことばっかりさせんの。頭皮の脂を顕微鏡で見てみたりだとか、牛乳を試験官に入れて放置しておくとどうなるか観察してみよう、だとか、ホントなんの勉強なのかさっぱりわかんないようなことばっかりでさ。

だから、通ってる子どもってオレともうひとりぐらいしかいなかったんだけど、オレはそのじいさんの家にいくのがすごい好きで。

ひどいときには、じいさんとオレ、座卓をあいだにはさんで、二時間まるまる、うつらうつらしてただけっていう日もあったからね。

そのじいさん、ひとり暮らしでさ、オレともうひとりの子どもが家にいく以外、誰かが訪ねてきてる気配もなくて。なんだろうな、子どもながらに、オレが通ってやんなくちゃ、みたいな気持ちもあったのかな。

じいさんなりに選んだ子どもが好きそうな菓子を、二時間のあいだに三回もあった休憩時間のときにジュースといっしょに出してくれたり、これは読んでおきなさいって渡してくれた読書リストにびっちり書きこまれてた文字がものすごい丁寧だったり、なんかそういうのが、いちいち好きだった。おもしろいことなんかは、まったくいわない人だったけど、本当は子どもが好きなんだろうなって。

結局、小学校を卒業するまでオレはじいさんのところに通いつづけて、オレが中学に入ったころに、じいさんは体を壊して入院しちゃった。

何度か見舞いにもいったけど、やっぱりじいさんのところにオレ以外の誰かが見舞いにきてる様子はなくて、それから一年くらいして、あっけなく死んじゃったんだけど、ほかに名前を書く相手もいなかったみたいで、じいさん、自宅を赤の他人のオレにゆずるっていう遺言を残してて。

当時はまだ中学生だったし、贈与税やらなんやらでずいぶんすったもんだしたんだけど、親や親戚に助けてもらって、どうにかゆずり受けることができてさ。

それが、《科学と実験の塾》をやってるあの家なわけで。

なんかねえ、ほかに思いつかなかったんだよね、あの家の使い道。

ああ、あのじいさんがやってたような受験のためじゃない塾、でも、もうちょっとだけマシな内容の塾をやろうって。

それ以外に、あの家をオレがもらう理由はないって思ったから。だから、《科学と実験の塾》をはじめたの。

　うははは。

　ちょっといい話っぽいでしょ？

◇◇

　はじめて聞いたそんな話、という奈良くんに、久和先生はやっぱり、うはは、と陽気に笑ってから、軽やかに応じた。

「説明がちょっと面倒だからな。親戚からゆずり受けた家ってことになってんだよな、身内のあいだでも」

　わたしなんかが聞いてしまっていい話だったのかな、と思いながら、久和先生の顔を見るともなしに見ていたら、その顔が、ふっとわたしのほうを向いた。にこっと笑っていう。

「そんなわけで、《科学と実験の塾》をやってんの」

「あ、はい、あの、えっと、すみません。なんか、立ちいったことを聞いてしまって」

「ええェ？　佐紀があやまることじゃないでしょ。オレが勝手に話したんだからさ。そもそも、かくしておきたいことなんかないしねえ、オレには」

そういって、あぐらを組んだ足を組みかえようとしていた久和先生に向かって、

「……うそつけ」

ほとんど聞きとれないような声で、奈良くんがつぶやいた。

「は？　なんだって？　比佐弥。声が小さい。聞こえねえよ」

「うそつくなっていったの。寿お兄、かくしてることいっぱいあんじゃん」

わたしの耳があるので、奈良くんの関西弁はすっかり関東言葉に衣替えしている。

「たとえば？」

「目のこととか。あと、さっきここにくるまでのあいだにしてた話とか」

気づかれないよう注意しながら、横目でそっと奈良くんを見る。奈良くんは、まっすぐな視線を、まっすぐに久和先生に向けていた。

「目のことはともかく、さっきの話っていうのは、百瀬さんのこと？　あのね、比佐弥。それはかくすかくさないの話じゃないでしょ。もし仮にオレが本当に百瀬さんを好きだとしても、それをお前にいわないことを、かくしてるとはいわないんじゃない？」

もっともだ、とわたしは思ったけれど、奈良くんの気持ちもわかってしまった。好きな人に関することなら、なんだって気になる。本当ならちゃんと理解できているはずの正論も、どこかにすっ飛んでしまうものだ。

ほんの少しのあいだ、黙りこんでしまっていた奈良くんが、ふたたび口を開こうとしたちょうどそのとき、ふすまがいきおいよく、すたんっと横に引かれた。

「いらっしゃいませえ」

百瀬さんのほがらかな声。

わたしたちはいっせいに、開いたふすまのほうに顔を向けた。ふすまに背中を向けていた久和先生だけが、上半身をひねるかっこうだ。畳に両手の指先をついて、深々と頭をさげていた百瀬さんが顔をあげる。満開の笑顔。

「きてくれたんだあ。ありがとねえ」

ピンクというよりは薄桃色と呼んだほうがしっくりくる色目の着物に、白っぽいグレーの前かけをつけた百瀬さんは、ふだんとちがってかなり大人っぽかった。

いつもははねまくりの短い髪はウエット気味に撫でつけられていて、色つきリップの淡い色がのった状態以外は見たことのなかったくちびるも、いまは、しっかり引いた口紅の色に彩られている。

百瀬さんは、ほんの少し手を加えるだけで、こんなにもちゃんと成熟した大人の女の人に様変わりすることもできる人だったのか、と思わず感心してしまった。

わたしでさえ、どきっとしたくらいなんだから、久和先生と奈良くんの心中は、相当にかき乱されているにちがいない。わたしはすっかり傍観者の気分で、話題をわざとそういう方向に持っていこうとした。

「百瀬さん、着物、似合うね」

しずしずと畳の上を進んできた百瀬さんは、座卓の角のあたりでひざをつくと、メニューを卓上に開きながら置いて、わたしの顔をのぞきこんできた。

「それがねえ、いつまでたっても着物に慣れなくて。バイト仲間の中でも、わたしだけ異常に着崩れやすいの。裏でこっそり女将さんに直してもらうんだけど。いまはちゃんとなってる?」

「うなじのところがうしろにさがってるのはいいの?」

「ああ、これはね、わざとこうやって衿をうしろに落として着るのが決まりなの。ほかはだいじょうぶ?」

「だいじょうぶ。なんか色っぽいよ、百瀬さん。ねえ、久和先生」

メニューを自分のほうに引きよせようとしていた久和先生に、話をふってみた。

「女の人の着物すがたは、やっぱりいいですよねえ」

久和先生はにっこり笑ってそういうと、百瀬さんに向かって、ねえ、と同意を求めてみせた。余裕たっぷりだ。さすがは大人、という反応が返ってきて、わたしは少しがっかりした。

「やっぱり着物すがたはいいだなんて、おじさんくさいですよ、久和先生」

百瀬さんは、いつもどおりのうれしそうな話し方でそういうと、帯にはさんでいた伝票ボードを手に取った。

「佐紀ちゃんと比佐弥くんはソフトドリンクね。オレンジジュースかコーラ、ウーロン茶、あとは温かいお茶。どれがいい？」

百瀬さんの視線が先に向いたのがわたしだったので、少しだけ悩んでから、じゃあウーロン茶で、と答えた。百瀬さんの視線が、奈良くんに移っていく。

「比佐弥くんは？」

「ビールぐらいなら飲ませてくれてもいいんじゃない？」

「だめでーす。飲酒は二十歳を過ぎてから。例外は認めません。ね、寿お兄？」

ふざけた調子でそんなことをいう百瀬さんは、惚れ惚れするほど邪気なく笑った顔を久和先生に向けた。

その瞬間、見る見るうちに久和先生の表情に動揺らしきものが広がっていったのを、わたしは見逃さなかった。さっきと同じように、ねえ、とそつなく応じはしたものの、久和先生はあきらかに照れていた。

もしかして、寿お兄って呼ばれたことに照れたのかな……。

久和先生はせきばらいをしながら、口もとに手をやったりしている。なかなか動揺がおさまらないようだ。寿お兄、なんて奈良くんからさんざん呼ばれているくせに、百瀬さんに呼ばれただけで、そんなに？　と思う。おかしなところに反応するもんなんだな、大人の男の人は、と首をひねりかけて、でも、と思いなおす。

考えてみれば、誰かを好きになって、その人のどんな言葉やしぐさにときめくかなんて、いつだってその瞬間、その瞬間に決まっていくことだ。

久和先生は、本当に百瀬さんのことが好きなんだなあ、とあらためて思った。

なんだか急に、泣きたくなるほど満たされた気持ちになって、久和先生の無防備な表情に見入ってしまう。

「じゃあ、比佐弥くんは、ビールと同じ炭酸系ということで、コーラね。久和先生はたしか、お飲みになるんでしたよね。最初は生ビールでいいですか？」

百瀬さんは、久和先生が黙ってうなずくのをたしかめると、さらさらと伝票に注文を書きこんだ。

「とりあえず、みんなでメニュー検討しておいてください。飲みもの持ってまたきますから、そのときに、きょうのオススメ料理とかいろいろご紹介しますね」

すっと身軽にひざをあげて立ちあがった百瀬さんは、わたしにだけひらひらと手のひらを踊らせてみせると、一段低くなっているふすまの向こうへとおりていった。

ふすまが閉まるのを待って、妙にしみじみとした様子で久和先生がいう。

「なんだか佐紀と百瀬さん、急に仲よくなったなあ」

「妬けちゃいますか？」

「なんだよもう、佐紀まで。あのね、百瀬さんは結婚してんの。だから、そういう百瀬さんの迷惑になるようなことをいうのはもうよしなさい。比佐弥もな。あーゆーあんだーすたん？」

奈良くんは、わざとあきれたような顔をしてみせた。

「わかったけど、ひらがなで英語をしゃべるなよ、久和先生」

「うはは、久和先生、根っからの理数系だからさ」

百瀬さんがふたたびすがたを見せるまでのあいだ、他愛もない話がつづいた。

「あ、そうだ、比佐弥。おまえ、オレのパーカまた勝手に持って帰っただろ」

「何色のやつ？」

「は？　何色って、紺色のやつのほかにも持ってってるのか？」

「あずきみたいな色のも借りてる」

「あーっ、どうりで見ないと思ったよ。おまえねえ、借りるなら借りるっていってから持って帰りなさいよ」

「厚手のパーカってさ、新品だとなんかごわごわするじゃん。寿お兄のパーカは着古してあるから、着心地いいんだよね」

「それでか。いい感じにくたびれて着心地よくなったのばっかりなくなるのって」

「オレだって、寿お兄に貸してる短パンあるだろ」

「そうだっけ」

「そうだよ、忘れんなよ」

　まるで本当の兄弟のように、服の貸し借りのことでもめていたかと思えば、だんだん話題がそれて、深夜にたまたまテレビで観た映画がどれだけ怖かったか、という話になっていったりした。

　話しているのは久和先生と奈良くんがほとんどで、わたしはときどき、そうなんですか、とか、それは知りませんでした、とか、合いの手に毛が生えた程度の言葉をはさんでいただけだ。会話に加わっていたというほどの状態ではない。それでも、わたしは楽しかった。本当に本当に、楽しかった。自分がそこにいることを許されていたから。それがちゃんと感じとれていたから。

わたしは生まれてはじめて家族以外の人たちと、その場にいることを認められたうえで、いっしょにいられる素晴らしさを知ったのだった。

「失礼しまーす」

ふすまが、すらりと開いた。

正座をした百瀬さんが、飲みものをのせたおぼんをひざの前に置いて、ぺこりとおじぎをする。

「お待たせいたしました」

着物すがたの百瀬さんが、ゆったりとしてはいるんだけど、ちゃんときびきびして見える動きで、飲みものをテーブルの上に置いていく。それぞれの飲みものでわたしたちが乾杯するのを見届けると、百瀬さんは手際よく、食べものの注文を取りはじめた。

「京菜とじゃこのサラダ、銀だらの西京焼き、牛すじのやわらか煮、特製和風コロッケですね……あ、自家製さつま揚げもすっごくおいしいんですよ。ちょうど三枚盛ってあるし。ええ、オススメです。はあい、じゃあ、それも入れておきますね」

オーダーを取りおえた伝票を手に部屋から出ていった百瀬さんが、なぜだかすぐにもどってきた。

「いまお店がすいてるから、ちょっとだけならここにいてもいいって、女将さんが」

百瀬さんはうしろ手でふすまを閉めながら、とびきりのいたずらをしかけた子どものような目で、わたしたちを見回した。

「久和先生のおとなり、失礼しますね」

座布団は敷かずに、直接、畳の上にひざを置いた百瀬さんは、うれしくてたまらない、というように笑って、向かいの席のわたしと奈良くんを交互に見やった。

百瀬さんはいつも、本当にうれしそうに笑う。楽しくて仕方がない様子で話をする。

なにがそんなにうれしいのか、なにがそんなに楽しいのか、そもそも、百瀬さんの下の名前すらわたしは知らないのだけど、百瀬さんがうれしそうに笑うとうれしかった。楽しそうに話してくれると、それだけで気分がはずむ。

百瀬さんのような大人になりたいなあ、とあらためて思ったわたしは、まじまじと百瀬さんの顔を見つめた。

「なあに？　佐紀ちゃん」

わたしの視線に気がついた百瀬さんが、やわらかく視線を合わせてくる。

「そういえばわたし、百瀬さんの下の名前、知らないなあと思って」

「あら、そうだった？　平凡な名前だよ。フミコっていうの」

「どういう字？」

「数字の二に、波がざばーんの海で、二海子。字面はちょっと変わってるけど、響きは平凡でしょ」

久和先生が突然、あれっと声を上げた。

「そうでしたっけ？　おあずかりした履歴書ではたしか、美しいのほうの二美子になってたような……」

一瞬の間。

「オレの記憶ちがいか」

百瀬さんが口を開くよりも先に、久和先生が話を切りあげていく。

細かい電子の粒子のようなものが、ピリ、と皮膚の上をかすめていったような気がした。

これ以上この話題をつづけてはいけないんだ、という久和先生の判断は、きっと正しいのだと思う。よくわからないけれど、きっとそうにちがいない。

百瀬さんはたしかにいま、なにかの信号を発した。久和先生はそれを敏感に察知して、さっと身をひるがえしたんだ……。

「あっ」

急に久和先生が、大きな声を出した。びっくりして顔をあげたわたしに向かっていう。

「佐紀、ちょっとそれ、取ってやって」

「そ、それ？」

「ほら、比佐弥のほっぺたの」

久和先生が指さしたのは、わたしのすぐ横にいる奈良くんの左ほおだった。目をやると、くちびるのはしにコーラの泡がついている。察した奈良くんが、すかさず手にしたおしぼりで口もとをぬぐおうとすると、久和先生は、あっ、あっ、といいながら手ぶりで、早く、早くと訴えた。

「えっ？　えっ？」

わたしが、えっ？　えっ？　とうろたえているあいだに、奈良くんはもう、口もとをぬぐってしまっていた。

「あーあ、間にあわなかったかあ。思春期の男子がほっぺたになんかついてるのを女の子に取ってもらうっていう奇跡的な場面を目撃できるチャンスだったのに。残念」

「なにをさせようとしとんねん。おっさんか、アホ」

「おっさんって、おまえ」

うはははは、と笑う久和先生の笑い声が部屋いっぱいに響きわたったところで、

「失礼しますう」

女将さんらしき人の声が、ふすまの向こうから聞こえてきた。すかさず百瀬さんが立ちあがる。

「はあい」

女将さんは、開いたふすまの向こう側から料理がのったおぼんだけを部屋の中にすいっと押しやった。

「まだいいからね、百瀬さん。お店、がらがら。平日の前半はこれだからこまるわ」

本当にこまったように笑ってみせると、女将さんはすぐに背中を向けてしまった。えっ、でも、そろそろ、とあわてでふすまの向こうに顔を出した百瀬さんに、女将さんは背中を向けたまま、いいのよう、という。

「じゃあ、お時給はちゃんと引いてくださいね」

百瀬さんがそう追いすがると、女将さんは、うふふ、という笑い声だけ残していってしまった。

「もう、女将さんったら……」

ふり返った百瀬さんは、実家の母親と久しぶりに電話で話した娘のような顔をしていた。奈良くんと目が合ったらしく、照れくさそうに笑ってみせる。

「なによう、比佐弥くん。バイト中にさぼってんなよって?」

「そんなこといってないでしょ」

「なにかいいたそうな目してた」

「せっかくいてもいいっていってくれてるんだから、素直にいればいいのにって思ってただけ」

要は、もっとここにいてほしい、といっているようなものだ。そう取られるなんて考えもしないで、奈良くんはただ、思ったままを口に出していっただけにちがいない。

奈良くんはときどき、見ているこっちがびっくりするほど、見晴らしのいい人になってしまう。

わたしは思わず、久和先生に目をやった。遠いところにあるものを眺めるように奈良くんを見つめていた久和先生は、とてもやさしくて、それでいてどこかさびしげな顔をして、ほほえんでいた。

百瀬さんに対する奈良くんの構えのなさがあまりに純粋で、いとしくもあるけれど、うらやましくもあって……久和先生はいま、そんな気持ちでいるのかな、とわたしは思った。複雑な思いが、そのまま表情にのっかってしまったような、そんなほほえみ方だった。


——そうだよね、久和先生。


心の中で、わたしは久和先生に話しかける。

先回りしてなにか考えたりなんかしないで、奈良くんくらい、構えないでいられたらいいのにって思うよね……。

さっきの百瀬さんは、なんだかちょっとおかしかった。多分、名前に関してなにか、うそをついているんだと思う。それがどういったうそで、なんのためのうそなのかはわからないけれど、でも、まちがいなく百瀬さんは、履歴書にうそを書いたんだ。

久和先生も気がついたはずなのに、その理由をきかなかった。履歴書にうそを書かなければいけないような事情をかかえているのですか、といますぐにでも問いただしてしまいたい気持ちを持ったにちがいないのに、素知らぬ顔をとおした。

久和先生はもう、大人だから。

その場の空気をちゃんと読んで、自分の気持ちを即座に抑えこむことのできる、立派な大人だから。奈良くんのように、純粋なだけの思いで人に接するほどには幼くない、立派な大人なんだ、もう……。

でもね、先生。

わたしはちゃんと見ているよ。百瀬さんを傷つけないための知らんぷりを、わたしはちゃんと見て、知っている。いつか久和先生が奈良くんにいっていたように、わたしもいっしょになってせつない気持ちになっているよ。

これ以上のことはないんだよね？　久和先生。

「よいしょ、と。はい、佐紀ちゃん、冷めないうちにどうぞ」

大皿に盛られていた銀だらの西京焼きを取りわけてくれた小皿を、百瀬さんがさし出してくる。

「わあ、おいしそう」

「おいしいのよう、ここのお魚は。煮ても焼いても、生でも絶品なの」

「百瀬さんは食べないの？」

「さすがにそれはね」

百瀬さんは新しい小皿を手に取ると、今度は、こんもりと盛られた京菜にじゃこを散らしてあるサラダを、三つのお皿に均等に取りわけはじめた。盛りつけたお皿を最初に手渡すのは、当然、年長者である久和先生だ。

「どうぞ、久和先生」

「あ、すいません」

となりの奈良くんが、あぐらを組みなおしながらひっそりと笑った。

「なあに？　比佐弥くん」

百瀬さんが、細長い菜箸を器用にあやつりながら、視線だけを、きょろっと奈良くんに向けた。

「いや……寿お兄に、そういうことはもういうなっていわれちゃったんで」

わたしはすぐに、ピンときた。まるで夫婦みたいだ、とか、お似合いだ、とか、そういう類いのことをつい思って漏らした笑いだったにちがいない、と。

たしかに、取りわけた料理を寄りそうようにして手渡す百瀬さんと、少し照れたようにそれを受けとる久和先生は、恋人同士でないのがおかしいくらいの雰囲気だった。

「オレと百瀬さんがお似合いだっていいたいんだろ？　おまえは」

突然、久和先生がみずからそんなことをいい出した。

予想外の発言に、奈良くんは、え？　あー、うん、まあ……と、間のぬけた返事をしている。

「どうします、百瀬さん。オレと百瀬さんはお似合いみたいですよ？　いっそオレと、一から人生やり直してみますか」

箸の先をくわえたまま、意味ありげに笑った顔を向ける久和先生に、百瀬さんは心底おかしそうに笑ってみせた。

「楽しそうですねえ、それも。久和先生といっしょに生きていく女の人は、きっと一生、楽しい気分のまま生きていけるんでしょうねえ」

「相変わらずかわすのがうまいなあ、百瀬さんは。それって要は、自分にその気はないってことでしょ？」

「もう酔ってます？　久和先生。既婚者口説いてどうするんですか。もしわたしが本気にして、本当に家出してきちゃったらこまるでしょう？」

「こまりませんけど、オレは」

……大変だ、久和先生が壊れてしまった！

冗談を装いながらも、久和先生はいま、本気で百瀬さんを口説いている。目の前に、わたしも奈良くんもいるというのに。

顔が熱い。どこを見ていればいいのかわからなくて、正座した自分のひざをただただ見下ろすばかりになってしまう。

「……わかりました、久和先生。じゃあ、こうしましょう」

百瀬さんの妙にあらたまった声音に、顔をうつむかせていたわたしは、視線だけをそっとあげた。

百瀬さんは、となりあっている久和先生とは視線を合わせないで、その場にはない眺めに見とれるような表情をしていた。とても遠いどこかの景色が、本当にいま、百瀬さんの目にだけは見えているような、そんな表情だ。

「もしもわたしが、だんなさまに捨てられてしまったら……」

そこまでいって百瀬さんは突然、ぶはっと盛大にふき出した。

「あーっ、やっぱりだめだあ。久和先生の真似して、ものすごく思わせぶりなこといってどきどきさせようと思ったのに。途中でふいちゃいました」

百瀬さんはからからと笑いながら、やっとその視線を、かたわらの久和先生に向けた。

短いような、長いような沈黙。

見つめあったふたりのあいだにだけ通った無言の会話が、きっとあったのだと思う。

ふたりは顔を見あわせたまま、ほとんど同時に小さく笑った。ふたりがなにを了解しあったのかは、わたしにはわからなかった。

それは多分、奈良くんにも。

2

百瀬さんの仕事が終わるのは十一時で、それから着替えたり、シフトの調整なんかをしているうちに、店を出るのはもっと遅くなってしまう、ということだった。

さすがに日づけを越えての帰宅は、久和先生同伴でもうちの親には許してもらえそうになかったし、久和先生も百瀬さんの仕事終わりを待つ気はもとからなかったらしく、九時半を少し過ぎたあたりで、わたしたちは店を出ることになった。

女将さんのはからいで、ほぼ半額程度の支払いで済んだのだと、店を出てすぐ、久和先生は馬鹿正直に打ちあけた。胸をなでおろす手ぶりつきで。

「そんなの黙っときゃわかんねえのに。高い金払わせちゃって悪かったなあ、なにで返そうかなあって思ってたとこだったんだけどな、オレ」

そんな憎まれ口をきく奈良くんの首にいきおいよく腕を回しながら、久和先生は、陽気な笑い声を人けのない路地いっぱいに響かせた。

「なーんだ、失敗したなあ」

「おかんに一万もらってたんだけど、これ、どうしよう」

「使ったことにして、お前のこづかいにすればいいんじゃない？」

「あ、だったら半分、寿お兄にわけてやろっか？」

久和先生は、おまえねえ、といいながら、奈良くんの首を軽くしめあげたようだった。奈良くんが、落ちる落ちる、といいながら久和先生の腕をぱしぱしと叩いている。

本当に仲よしだなあ、と思いながら、わたしはふたりより少しうしろを遅れて歩いた。幅のせまい道だから、というのもあったけれど、やっぱりこのふたりといっしょにいるときは、ならんでしまうよりも、一歩離れて眺めているほうが楽しい。

静まった薄暗い路地の先はもう、雑音と光があふれ返った靖国通りだ。

いまになってわたしは、ちょっと興奮しはじめていた。久和先生と奈良くんと、こんなふうに夜の新宿を歩いているなんて、と。

まるでシンデレラみたいだ、と思う。つい数時間前までは惨めな思いをしながら教室でちぢこまっていたわたしが、いまはこうして、クラスでいちばんの注目を集めている奈良くんといっしょにいるのだから。

いままで神さまにお願いしたどんな途方もない望みよりも、さらにかないそうもない望みがかなってしまったような気分だった。

本当に、なんて夜なんだろう。

どんなに打ちひしがれた気分にさせられても、がんばって学校に通いつづけたご褒美なのかな……。

平日の、終電が出るよりもずっと早い時間だったので、タクシーはすぐにつかまった。久和先生をまん中にはさんで、三人ならんで後部座席に乗りこむ。

ぼそ、と久和先生がいった。

「たまにはいいかもな、こうやってみんなで外食すんのも」

久和先生は、もしかしたらちょっと酔っていたのかもしれない。いつもよりも声が低めで、なんていうか、ふだんは生徒たちに見せていない顔をしているような気がした。

定期的に、久和先生や奈良くんと外食。そんなことが実現したら、それこそお城で暮らすお姫さまだ。だれよりも特別で、贅沢な毎日を生きている女の子になれてしまう。

「毎回、寿お兄のおごりか?」

「うーん、それはちょっときついか」

うはは、と久和先生が笑って、その話はうやむやになってしまったけれど、久和先生がそんなことを思ったっていうことだけで、わたしは胸がいっぱいだった。だって、それだけ今夜が楽しかったっていうことだもの。

少しずつ新宿の光の洪水の中から遠ざかっていきながら、あれがおいしかった、とか、トイレに置いてあったオブジェが不気味だった、とか、屈託のないおしゃべりがつづく。いつのまにか奈良くんは、わたしがいっしょにいても、久和先生と話すときには関西弁を使うようになっていた。それがまた、たまらなくうれしい。

甲州街道に入って、左手に有名な服飾系の学校が見えてきたころ、ふ、とため息をつくように、沈黙がやってきた。

「あのさ、寿お兄」

見計らったかのように、奈良くんが久和先生に呼びかける。

「うん？」

「オレ、やっぱり知りたいんやけど」

「なにを」

「その目のこと」

ぎょっとなったわたしは、首を動かさないように、視線だけを横に向けた。ふたりの様子を、こっそりとうかがう。

奈良くんも久和先生も、正面を向いたままだった。

「姉ちゃんからは、事故だって聞いてるんだろ？」

「聞いとるけど、どんな事故やったんかは、いくらきいても教えてくれんし、なんか、オレん中ではちっともしっくりきとらんっていうか……」

久和先生の目。

右側にだけ、人工の眼球がはめこまれている。

どうしてそうなってしまったのか、わたしも知らない。知りたい、と思ったこともあるけれど、わたしのそれは、ただの好奇心だ。奈良くんのは、きっとそうじゃない。ただの好奇心なんかで、明らかに話したがってはいない久和先生に、こんなにしつこく食いさがったりはしないはずだ。

奈良くんも、そこをはっきりさせない限りは話してもらえない、と気づいたのか、急に思いがけないことをいい出した。

「あのな、寿お兄」

「うん？」

「なんでオレがそんなに知りたがっとるか、教えよか？」

「教えてくれるのか？」

「寿お兄は、むかしから頭もよくて、行動力もあって、若いころにはひとりでいろんな国にいったりもしてて、いまだに世界中から絵葉書が届いたりしとるやろ？　それなのに、なんで《科学と実験の塾》なんやろって。いつもどっか遠くにいきたそうな顔しとるくせに、なんでなんやろって。右目のことちゃんと知ったら、納得できるんやないか。そう思うとるんや」

ぎゅうっと、心臓がちぢこまったようになった。息をするのが苦しい。大好きな叔父さんのことを思う奈良くんの気持ちが、血管の中にどっと流れこんできて、うまく呼吸ができなくなってしまったみたい。

となりで久和先生が、ふうっ、と大きく息を吐きだしたのがわかった。わたしと同じように、うまく呼吸ができなくなっていたのかもしれない。あまりにも奈良くんの思いが伝わりすぎてしまって。

遠くのほうから、サイレンの音が聞こえてきた。少しずつ近づいてきて、あっという間にわたしたちの乗っているタクシーのすぐ横を通りすぎていく。

遠ざかっていくサイレンの音を聞きながら、わたしはそっと念じた。

教えてあげて、先生って。

「……しょうがないなあ」

わたしの念が通じたわけでもないのだろうけど、ため息まじりに久和先生は、そうつぶやいた。

「聞いたら、すぐに忘れろよ？」

そんな無茶な前置きをしてから、ぽつぽつと、久和先生は話しだした。

「ちょうど、おまえとおなじ学年のときだったな。夏だった。蝉が鳴いてて、汗で背中にTシャツが張りついてて……そう、めちゃくちゃ暑い日だった。土手沿いの道を、ぶらぶらひとりで歩いてたんだ。夏期講習に向かう途中でさ」

中学生のころの、久和先生。
夏のある日の、長い影をつれてるTシャツすがたの男の子……。
わたしの頭の中で、蟬が騒ぎだしていた。

「道の向こうから、ふたり組の高校生が歩いてくるのが見えた。最初っから、オレのことが気にいらないって顔してて、すれちがいざまに、ぼそっといったんだ。『死ね』って。意味がわからないだろ？　だから、立ちどまってふり返った。そしたら、向こうもふり返ってて、いきなりつき飛ばされたんだ」

　わたしたちの通っている中学校にはもうほとんどいないけれど、近隣の学校には、いまだに不良っぽい人たちは存在している。どうしてわざわざそんな、と思うような手の加え方をした制服を着た男の子たちを見かけることがあって、時代遅れだなあ、と決まってあきれてしまう。

　久和先生が中学生だったころにはまだ、ああいう男子たちがもっとたくさんいたのだろうし、見ず知らずの相手に因縁をつけて、わざとトラブルを起こすことだって、そうめずらしいできごとではなかったのかもしれない。

「それで、カッとなったのかな……どうだったんだろう。あんまり覚えてないけど、とにかく、起きあがってすぐ、こっちからも体当たりして、気がついたらもう、もみくちゃになっててさ。ふたりいたうちのどっちかが、胸にさしてたボールペンを手に持って、めちゃくちゃにふり回して……それが運悪く、こう、ぐさっと」

こう、といいながら、久和(くわ)先生は自分の右目に向かって、ボールペンをにぎったふりをした右手を近づけた。

ぐさっ。

中学生の久和先生の右目に、まっすぐにつきささったボールペンが見えたような気がした。

その拍子(ひょうし)に、ひゅっ、とおかしな息の吸い方をしてしまって、わたしは激しくせきこんだ。驚(おどろ)いた久和先生が、体ごとこちらに向きなおる。

「どうした？　だいじょうぶか、佐紀(さき)」

じゃまをしてしまった、と思う。あわててわたしは、「だいじょうぶです」と答えた。

「ちょっと変なふうに息をしちゃっただけなんで」

わたしのせいで、久和先生の話が終わってしまうのが怖(こわ)かった。

「それで、あの……」

つづきをうながすつもりで、久和先生の顔を見た。

その瞬間(しゅんかん)、あ、と声をあげそうになる。

久和先生の、目。

久和先生の右目だけが、黒く燃えているように見えた。

その黒い炎に久和先生がのみこまれてしまいそうな気がして、わたしはとっさに、手を伸ばしそうになる。

すんでのところで、引っこめた。

伸ばしたその手で、わたしは一体、なにをしたかったんだろう。

わからない。

ただ覆いかくそうとしただけだったのか。それとも、久和先生のものであって、久和先生のものではない眼球を、この手でくりぬいてしまおうとしたのか……。

「佐紀？　だいじょうぶか、佐紀」

「だいじょうぶ……です」

こくこく、とうなずく。

いつのまにかタクシーは、初台の駅前を通りすぎようとしていた。久和先生が突然、声音を変えていう。

「運転手さん、そこの遊歩道の入り口で、ひとり降ります」

我に返ったようになる。

わたしだけ、ここでおしまい？

話の途中なのに？

ブレーキが引かれて、車体が大きく揺れた。わたしと久和先生と奈良くんの体も、前後に大きく揺れる。その動きに、わたしの中のなにかも揺れた。

運転席に向かって身を乗りだすと、震えた声でわたしは告げる。

「運転手さん、全員、ここで降ります」

目的地を告げた際の返事以外、まったくといっていいほど言葉を発することのなかった初老の運転手さんが、おおげさに驚いた顔を、ぐるんとうしろに向けた。

「いいんですか、お客さん」

祈るような気持ちで、久和先生の横顔を見つめる。お願い、こんなところでわたしだけ放りだしてしまわないで。

お願い。お願いだから、先生……。

久和先生は、腰を浮かして財布を取りだしながら応じた。

「……おいくらですか？」

人けのまったくない遊歩道を照らすのは、かなりの間隔をあけて設置された、街灯の明かりだけだった。

古ぼけたベンチに、わたしと奈良くんが座って、久和先生は、ベンチのちょうど向かいの位置にあった小さなシーソーの片側に、腰をおろした。中心部分に背中を向けていて、シーソーとしての機能を無視した座り方だ。

わたしたちは、久和先生の横顔を見るかっこうになる。

「……ごめんなさい、勝手なことして」

あんな中途半端なところで、わたしひとり降ろされてしまうなんてあんまりだと思ったんです、どうしても、わたしも最後まで話を聞いていたかったんです――とまではいえなかった。そんなに上手に、自分が思っていることを口に出していうことはできない。

「佐紀」

ひっそりとして、物音ひとつ聞こえてこない遊歩道の暗がりを、久和先生のよく通る声が渡っていく。これだけ静まっていると、となりあって座っていなくても、充分に声は届く。

「あんなところまで聞かされて、はい、家に着きました、じゃあここまでっていきなり放りだされたんじゃ、たまったもんじゃないよな。うん、もう少し、話そうか」

わたしの気持ちを読みとったようなことをさらりといってから、ゆっくりと久和先生は話しだした。

「……こんなに簡単なのかって、思ったんだよ。通りすがりの知らないやつに、いきなり『死ね』っていわれて、はあ？　ってなってふり返ったら、わけもわからないまま取っ組みあいになって、目が覚めたときには病院のベッドの上で、知らないうちに片目は勝手に取りだされちゃっててさ。当たり前にあったものが、いきなりなくなるのって、こんなに簡単なんだって」

ごく短い間が、空く。

「それとは逆に、右目に義眼が入ってからのオレが、もとのふつうの生活を送れるようになるだけのことが、なんでこんなにむずかしいんだよ、とも思った」

久和先生は、ふつうじゃなくなった生活の断片のいくつかを、わたしと奈良くんに教えてくれた。

たとえば、家族との関係。

表面上、誰も、なにも変わらなかった。ただ、どんな話をしているときでも、たとえテレビを観て笑いあっているときですら、そこにある空気には、ぴりぴりと微量の電気が発生しているようで、常に体のどこかがしびれているように思えてしょうがなかったそうだ。

笑いながら、いつも思っていたことがあるのだという。

この電気の正体は、家族が自分に対してひたかくしにしている本音だと。

――この子はもう終わってしまった子だから。

なにを話していても、なにをしていても、家族の中には、その本音がある。かくしていたって、わかってしまう。

ぴりぴりとしびれるこの空気が消えることは、きっともうない。そう気づいたとき、久和先生は、自分がなくしたのは右目だけではないのだと、怖いくらいに実感したそうだ。

片目が義眼になったからといって、人生は終わったりはしない。ただ、当時の久和先生の若すぎる年齢と、そうなってしまった経緯が、久和先生を大切に思う人たちの気持ちを必要以上に暗くしてしまったことは、想像できる。

「どうしてあのとき、足を止めたりしたんだろうって、何千回、何万回って思ったよ。『死ね』なんて捨てぜりふに、なんであのとき反応したりしたんだろうって」

知っている。

その地獄なら、わたしも知っている。

なんであんなことをしちゃったんだろうって、なかったことにはできないことを、いつまでもいつまでも考えてしまって、体の内側からどろどろに腐っていくような、あの時間。

わたしの知っている地獄の炎が赤だとしたら、久和先生のそれは、きっと黒だ。

闇を燃料にして燃えているような、ぽっかりと開いた穴にも似た炎。

それは、永遠にぬけ出すことなんてできそうもない、不滅の地獄で見る炎だ。

そんなところに、ある日突然、久和先生は落とされてしまった。

「向こうもさ――向こうっていうのは、加害者のことだけど、まさかこんなことになるとは思わなかったって、取り調べのときに泣きながらいってたらしい。それは本当に、正直な気持ちだったんだと思う。向こうにとっても、深い意味なんかなく吐きだした『死ね』だったんだろうし、ちょっとびびらせてやろうと思って手に取ったボールペンだったんだろうし……」

久和先生は淡い笑い声を漏らしたあと、青白い夜のただ中に向かって、深くて長いため息を吐きだした。

ぽつりと、奈良くんがいう。

「……はじめて聞いた」

「姉ちゃんが話したがらないのも、納得って感じだろ？」

坂の上の一軒家を久和先生がゆずり受けたのは、その少しあとのことだったそうだ。

親戚の中には、神さまが右目と引きかえにくれた幸運だったのかもしれないね、なんてことをいう人もいたらしい。ずいぶんと割りに合わない幸運だとも。

「まあ、大変だったのは中高時代だけで、おまえも知ってるとおり、大学にいってからは海外をひとりでほっつき歩くようになって、そこそこ充実はしてたんだよ。このまま海外で働きながら旅して暮らしていくのもいいなあって思ったりもしてた。でも、どうしてもあの家のことが気になって、結局はもどってきて……まあ、この目のこともあるし、就職はしないで、あの家を使ってやれることをやろう、と。で、いまにいたる、というわけ」

そこまで話したところで、久和先生はふらりと立ちあがって、わたしたちに向きあった。

「以上が、この右目にまつわる話のほとんど全部。話しもらしたことは……ない。うん、ないな」

わたしも奈良くんも、ひとことも口を開けずにいた。

話した張本人の久和先生は、さっぱりした顔をしている。さっぱりどころか、にこやかに口もとをほほえませてさえいた。

大変だったのは中高時代だけ、と久和先生はいったけれど、そのあとも、いやな思いをしたり、胸が苦しくなるような場面に遭遇したことは、きっと何度もあったにちがいない。もしかしたら、就いてみたいと思った職業を、目のせいであきらめたことだってあったかもしれない。

それでも久和先生は、いまはもう、なにもかもが遠いむかしのことだと笑っている。ちゃんとした大人になって、笑っている。

となりの奈良くんが、ぐす、とはなをすする音を出した。

「ごめん……ごめんな、寿お兄ぃ」

ささやくような、奈良くんの声。

その声を耳にして、はじめてわたしは気がついた。奈良くんが、泣いていることに。

「ほらあ、だから話すのいやだったんだよ」

そういいながら久和先生は、わたしたちのいるベンチに向かってきた。奈良くんの正面に立って、ぽんぽん、とその頭の上で、やさしく手のひらをはずませる。

「おまえ、いい子だからさ、ぜーったい、しんどくなるってわかってた。だから、ただの事故ってことにしておきたかったんだよなー」

久和先生の口調は明るい。あっけらかんとしている。奈良くんは、激しく首を横にふった。

「オレが、しつこくきいたから……寿お兄は、いやがっとったのに……ごめん……本当に、ごめん……」

久和先生は、よいしょ、といいながら、その場にしゃがみこんだ。奈良くんの顔を間近に見上げるかっこうになる。

「あのねえ、オレはもう平気なの。こんな話、いくらでもできる。大学時代のつれには、ほとんど笑い話のあつかいで話してたくらいなんだから。オレは、おまえに話したくなかったの。いまのおまえには、これ以上、世の中の不条理みたいなもんを感じてほしくなかったから」

「もう充分……感じとるし」

「そう、もう充分だ。おまえはもう、自分の分だけで腹いっぱいになってる。そんなところに、わざわざオレの分まで食わせる必要はないだろ？」

奈良くんのおうちの事情が、ふっと頭をよぎった。きっと、久和先生はそのことをいったんだと思う。

「なあ、比佐弥。いまはわからないだろうけど、いまの苦しさは、いまだけだ。そのうち、いまよりも体が大きくなる。そうすると、もうちょっとだけたくさん腹の中に入るようになっていく。腹いっぱいだったはずが、まだもう少しならだいじょうぶかもって思えるようになっていくんだよ、不思議なことに。だからさ、そろそろ比佐弥の腹の具合が変わってきたかなってころに、本当のことは話そうと思ってた。ホントだぞ？　後出しでいってるわけじゃないからな」

奈良くんに向かっておだやかに話しかけている久和先生の横顔を見つめながら、わたしはただ祈っている。

助けてあげて、奈良くんをって。

これ以上、奈良くんに苦しんでほしくない。東京なんかきたくなかったたって、やりきれない思いを久和先生にぶつけていた奈良くん。盗み聞きの鼠にだって、奈良くんの心を焼く怒りの猛火は伝わってきた。

「……ホンマか？　寿お兄」

かすれた声を、奈良くんがしぼり出す。

「ホンマに……いまだけなんか？」

「少なくとも、オレはそうだった。中高時代に感じてた苦しい気持ちは、いまはもうない。もちろん、いまはいまの苦しい気持ちってのもあるけど、比じゃないな。あのころのほうが、ずっとずっとしんどかった」

「……信じる……寿お兄がそうやったっていうんなら、信じるわ。いまだけやって」

「そうか、信じるか」

「うん」

うん、と答えた奈良くんが、倒れこむようにして久和先生の右肩に自分のおでこを押しあてた。

「おってな？　寿お兄。オレの体が大きくなって、なにが腹ん中入ってもだいじょうぶになるまで……ちゃんと」

久和先生の背中に奈良くんの腕が回される。

「な？　おってな？」

「いるって」

「ホンマに？」

「本当に」

「ホンマやな？　絶対やからな？」

「ホンマやって！」

あんまり何度も念を押されたからか、最後には奈良くんの関西弁を真似しながら、久和先生は断言した。覆いかぶさるようにしがみついていた奈良くんを、力いっぱい抱きかえしながら。

「大人っぽくなったと思ったら、これだもんなあ」

奈良くんの顔が、ふっとこちらを向いた。うっかり目が合ってしまう。あわてたように、奈良くんは久和先生の体を押しやりながらベンチから立ちあがった。

一部始終を見られていたことに、いまになって気がついた、という様子だ。

「あかん、帰らな。もう十時過ぎとるぞ、寿お兄」

なにもかもなかったことにするようないきおいで、奈良くんが久和先生を急かしている。

「姉ちゃんに叱られるか？」

「いや、オレはええけど……」

奈良くんは、ちらっとわたしのほうを見た。自分はいいけど、あの人が、ということらしい。

わたしは思わず、くちびるを嚙んで笑いをこらえた。この場から、さっさと逃げだしてしまいたいのだ、奈良くんは。わたしの門限を口実にして。

「久和先生、わたし、帰ります」

「え？　あ、じゃあ、家の前まで……」

「だいじょうぶです。そこの路地に入って、まっすぐいったら、もううちですから」

「そっか。そうだったな、そういえば」

「きょうは、ありがとうございました」

楽しかったです、といいかけて、あわててそれはのみこんだ。最後に聞いた話を、楽しく聞いた、といったように聞こえてしまったらいやだったから。

「また、朋典のお迎えのときに」

「気をつけてな。お母さんにも、よろしく」

最後にぺこりと頭をさげて、わたしは歩きだした。きっといまごろ奈良くんは、ほっとした顔をしているにちがいない、と思いながら。

遊歩道を出て、住宅が建ちならんでいる路地をゆっくりと進んでいく。見上げた空に、月はなかった。雲も流れていない。街灯の白い明かりだけが、黒いアスファルトの道を明るく照らしている。

特別な夜が、終わろうとしていた。


——今夜、わたしが知ったこと。

楽しい気持ちだけを持って生きているような百瀬さんにも、ひょうひょうと健やかに生きているような久和先生にも、秘めた事情はあったのだということ。

どんな人だって、生きている限り、ある一面だけで存在していられるわけがないということ。

それでもやっぱり、わたしは百瀬さんを好きだと思っているし、久和先生のことが大好きだった。

いつか百瀬さんと向かいあったまま泣き笑いしたときのように、わたしはまた、笑いながら涙をこぼしていた。

特別な夜の終わりに流したその涙は、胸苦しいほど幸福な涙だった。

大切な大切な涙だった。

3

体育館の裏側、いまはもう水の張られていないプールをぐるりとかこんだ白い壁の、校舎からは最も遠く離れている角のあたり。

滅多に人はこない。

ひとりで過ごすには、持ってこいの場所だ。

壁に背中をあずけて、まばらに雑草の生えた土の上に腰をおろすと、体の奥の奥のほうからため息が出てくる。それは、やっとひとりになれた、という安堵のため息だった。

どんなにわたしの気持ちに変化があろうとも、現実の生活は、そう簡単に変わるものではない。

給食を食べおえてしまうと、自分の席にぽつんと座って過ごす長い長い空白の時間がつづくだけなので、わたしはすぐに教室を出てしまう。日によって身を寄せる場所は変えているけれど、たいていはこの殺風景な白い壁の前に座りこんで、始業の五分前になるのを待つ。なにをするわけでもなく、もの思いにただふけるだけの時間だ。

見上げると空はどんよりとくもっていて、いつ雨が降りだしてもおかしくない空模様だった。

わたしは、青く晴れた空よりも、こういうくもった暗い空のほうが好きだ。小さいころから、体育全般が苦手な子どもだったせいかもしれない。天候が悪いと、外で元気に遊ばなくていい、という気持ちがむかしからあって、いまだに空が暗いとほっとしてしまう。

壁越しに背にしている校庭からは、輪になってのバレーボールや、人数もルールもデタラメなサッカーに興じる陽気な歓声が聞こえてくる。

わたしは、学校という場所そのものがきらいなわけではないのだと思う。心底きらいなのであれば、もっとあっさりとしたあきらめが持てるはずだった。同じ年ごろの人間ばかりが集まって、同じ時間をたくさん共有することで起きるさまざまなできごとを、本当は楽しみたくて仕方がないのにそれができない。だから、いつもいつも打ちひしがれた気分でいるだけだ。

いますぐ変わることはできないんだろう、きっと。

いくら自分が変わろうとしても、クラスのみんながわたしに持っている印象は、たとえば世界でいちばんえらい人がいたとして、その人が命令したとしても、変えることなんてできはしない。

まずわたしは、その真実をしっかりと自覚することからはじめなければいけなかった。そう簡単になにかが変わるはずはない、という覚悟をしたうえで、代わり映えのしない風景に短気を起こさないよう気をつけながら、こつこつと自分自身の改革を進めていく。そうしているうちに、やがて見えてくる新しい眺めがあるはずだ。歩きつづけさえすれば、目にする眺めは必ず変わる。

わたしはもう、歩きだそうともしないで、いますぐちがう風景が見たい、という馬鹿な駄々をこねないくらいのところまでは、いつのまにか進んできていたみたいだ。

自分を変える、という現象の正体を知ってからは、ずいぶんと気が楽になった。だから、ほんの少し前までは大きらいだった校庭からの陽気な歓声が、いまはなんだか心地いい。同じ空気を吸っていることが、うれしいとさえ思える。

いつかきっと、わたしもあの輪の中に入ろう。根気よく足を進めて、いつかあの場所までいき着こう。今度こそ、わたしは変われる。

校庭中にあふれていた声が、少しずつ減りはじめていた。

昼休みが終わる時間が近づいていることに気がついたわたしは、よいしょ、と立ちあがり、おしりをぱたぱたと手ではたいた。

以前ほどにはあからさまではない、だけど、目ざわりなものを見る目でわたしを見る人たちがいる教室にもどるため、歩きだす。どんなにつらくても、いまのわたしがもどらなければいけない場所だ。自分で考えて、そう決めた。そのせいか、思ったよりも足は重くない。

まばらな雑草の上に足を踏(ふ)みだしてすぐ、話し声に気がついた。壁(かべ)の折れまがったすぐ向こうから、聞こえている。踏みだそうとしていた足を、あわてて引っこめた。壁に張りつくようなかっこうになりながら、必死に息をひそめる。

せっかくの昼休みにひとりきりでこんなところにいた、と誰(だれ)かに知られるのがいやだったからそうしただけだったのだけれど、結果的にわたしは、またしても盗(ぬす)み聞きをすることになってしまった。

盗み聞きをするのは、これで三度目。すっかり常習犯だ。

聞こえてきた話し声の一方は、同じクラスの上原沙希(うえはらさき)さんのものだった。

「……ずっと、ずうっと好きだったんだあ。本当に、だめ？」

「悪いんだけど」

「どうして？　ほかに好きな人、いる？」

「そういうわけじゃないけど、いまは誰かとつきあう気がないんで」

「……そっか。うん、わかった。あんまりしつこくしてきらわれちゃうのもいやだから、もうあきらめる。ありがとう、話、聞いてくれて。昼休みつぶしちゃってごめんね」

「こっちこそ、ごめん。あの、上原のことがどうとかっていうんじゃないから。オレがいまはそういう気分じゃないってだけで……上原だったら、ほかにもっといいやついると思うし」

「ほかの人じゃだめなんだってば。わたしは、奈良くんが好きなんだから」

「ああ……うん」

「もういいって。気にしないで。これからも、ふつうにしてようね。いっしょに教室もどるとなんかいわれちゃうかもしれないから、奈良くん、先にいって」

「わかった。じゃあ」

がさがさと雑草を踏みながら遠ざかっていく足音。

——大変だ！

わたしは、とんでもない盗み聞きをしてしまった。

うまく息ができない。まるで体全体が心臓になってしまったようだ。

もしもいま、こうしているところを上原さんに見つかってしまったら、今度こそ本当に、転校でもしなければどうにもならなくなる。どうしよう。

神さま、どうかこのままなにごともなく上原さんも立ちさってくれますように！

わたしは祈った。この願いさえかなえば、ほかのなにがどうなったってかまわない、とまで思いながら祈った。

それなのに――。

「誰かいるの？」

願いは届かなかった。

上原さんは、角を折れたすぐそこに人の気配があることに気がついてしまったらしい。雑草が踏みわけられる音が近づいてくる。

どうしよう。どうすればいい？

走って逃げても、絶対にうしろすがたは見られてしまう。

どうしよう。

どうしよう……。

ただおろおろするばかりだったわたしは、結局、角の向こう側から顔をのぞかせた上原さんと、ばっちり視線を合わせた状態で対面してしまった。

ため息のようなかすかな声が、ひどい、とわたしを責めた。

「……ひどいよ……聞いてたの？」

上原さんの黒目の大きな丸い目が、見る見るうちにうるみ出す。

「どうして？　関口さん。どうして聞いてるの？　ひどい……ひどすぎるよ！」

「ごめん……なさい……」

たまたまここにいただけで、ほとんど聞こえていなかった——そうつづけようとして、わたしはその先の言葉をのみこんだ。

だって、たまたまなんかじゃない。たしかに最初はたまたま居合わせただけだったけれど、途中からは、聞きたかったから聞いていた。ふたりの交わした言葉のほとんど全部、聞いてしまった。

だから、いまは謝罪の言葉以外は口にしちゃいけないんだ……。

「本当に、あの……ごめんなさい」

「あやまったってしょうがないよ。聞いちゃったんでしょう！　どうして？　どうしてこんなことするの？」

どうしてといわれても、と思いながら、わたしは説明した。最初から自分はここにいたのだということを。

上原さんたちのあとをわざわざ尾行してきたわけじゃなく、たまたまわたしがここにいたら、あとから上原さんたちがやってきたのだということを、多少たどたどしい口調ではあったものの、どうにかしてわたしは上原さんに伝えた。すると、

「先に？　……先に、ここにいたの？」

嗚咽をこらえた震え声を張りあげてわたしを責めていた上原さんの声の調子が、急に弱まった。
驚いたように見開いた目で、向かいあったわたしをじっと見つめている。

「ひとりで、ここに？」

わたしは黙ってうなずいた。

「どうして？」

「……ひとりでいるには、ちょうどいい場所だから」

「どうしてひとりでいるの？」

なんて無神経なことをきくんだろう、と一瞬だけカッとなって、でも、すぐに納得した。この人は、本当にわからないからきいているんだ、と。

いつも誰かがそばにいるのが当たり前の上原さんには、楽しいはずの昼休みに、こんな学校のはずれのはずれでひとりきりでいなくちゃいけない理由がわからない。だから、きいてるんだ。単純に理由が知りたくて、無邪気にたずねているだけなんだ……。

「上原さん、わたしはいま、教室にいるのがつらいの。だから、そう……避難してるんだよ、ここに」

突然、上原さんが声をあげて泣きだした。

「……なんでえ……なんでよお……」

上原さんが、なにに反応して泣いているのかわからない。わたしはただ、黙って上原さんを見つめつづけた。

上原さんは、両手をだらりと体のわきに垂らしたまま、直立の体勢でわあわあと泣いている。叱られた子どもが親の前で泣くような、まるで飾り気のない泣き方だった。

「あんまりじゃない……こんなところにひとりでっ……たったひとりでえ、昼休みなのにい……」

しゃくりあげながら、とぎれとぎれに漏らした上原さんの訴えは、信じがたいことに、わたしのためのものだった。

「知らなかったっ……関口さんがっ、こんなさみしいことしてたなんて、わたしっ、ぜんぜん知らなかったよお……」

同情ではなく、自分が優位に立つ人ゆえの傲慢なやさしさでもなく、上原さんはただ、こみあげるままに泣いていた。あるひとりの人間がつらい思いをしている、という目の前の現実に驚いて、胸を痛めて、頭を回す前に、本能の部分で泣いている。

本当にいい子なんだなあ、とひとごとのようにわたしは思った。こんないい子をふるなんて、奈良くん、ひどい……。

わたしも、声をあげて泣きだした。

「上原さん、こんなにいい人なのに、ひどいよ奈良くん……ひどい……」

わたしたちは競いあうように、わあわあと泣いた。

それぞれが自分のためでなく、目の前の他人の痛みに反応して泣いていた。

おかしなおかしな情景だった。


わたしと上原さんは、午後の最初の授業が終わるまで、白い壁の前から動かなかった。

ならんで壁に背中をあずけて、しゃくりあげる合間合間に、いろいろなことを話した。

上原さんは、理由もなく誰かを蔑んだり馬鹿にしたりする行為が、とっても苦手なんだそうだ。

特に、ナルや晴美や優香はその傾向が強いから、ときどき大声でどなりつけたくなってしまう。

でも、そんなことをすればきっと、偽善者ぶって、と思われるのがオチ。だからなにもいえないでいる自分にもまた、腹が立っている——。

そんなようなことを、上原さんは打ちあけてくれた。

わたしはとても驚いた。雲ひとつない晴れわたった青い空のような上原さんが、自分自身に不満を持っているだなんて、考えられないことだったからだ。

わたしも正直に、同じ〈さき〉という名前でいることがつらいのだという話をした。

いつもみんなの人気者で、きらきらした宝石のような存在の〈上原沙希〉と、いてもいなくても話題にあがることもない、みすぼらしい道ばたの小石のような存在でしかない〈関口佐紀〉。よりによって、どうして上原さんと同じ名前なのか、それがつらくてしょうがないと、まだ乾いてもいない生々しい傷をさらしてみせた。

上原さんはまた少し涙ぐみながら、関口佐紀さんは関口佐紀さんだよ、といった。なんでもないありふれた言葉だったけれど、上原さんからいわれたからこその響きがあった。


関口佐紀さんは関口佐紀さんだよ――。


とても美しく、その言葉はわたしの胸の中に響いて、長い長い反響を残した。

すべての苦悩が洗いながされていく教会の鐘のようなその響きを、わたしはきっとずっと忘れない、と思った。

「そろそろもどろうか、教室」

わたしのほうから、そう声をかけた。

上原さんは、「待って待って、わたしの目、赤くない？」といいながら、その小さな顔をつき出してきた。だいじょうぶだよ、とわたしが答えると、安心したように上原さんは笑った。

こんなかわいい人をふるなんて、と胸の中でもう一度、わたしは奈良くんを責めた。


学校から帰ってすぐ、ナフタリンくさい制服をタンスの奥から出した。

明日は衣替えの日だ。少しでもにおいを取るために、クリーニング店のビニール袋から出した制服を、開いた窓の前に引っかけてからわたしは部屋を出た。

まだ六時を過ぎてもいない。《科学と実験の塾》へ朋典を迎えにいく前に、駅前の本屋に立ちよるつもりで、少し早めに家を出ることにしたのだった。

「いってくるねー」

直接玄関へとつづいている二階からの階段を駆けおりていき、廊下のつきあたり、リビングとつづきになっているキッチンにいるはずのお母さんに声をかける。

「もう暗いんだから、あんたも気をつけていくのよー」

にぎやかなテレビの音の合間から、張りあげられたお母さんの大きな声が廊下に響きわたった。

「はあい」

白いボタンダウンシャツの上にはおっているのは、先週末に買ってもらったばかりの青いカーディガンだ。

きょうも奈良くんに会えるだろうか。

久和先生はいつもどおりに、よう、と片手を軽くあげてくれるだろうか。

百瀬さんは、新しいカーディガンの青をほめてくれるだろうか。

いつにも増して浮かれた気分で、玄関の扉を押しひらく。

みんなにはないしょの、上原さんとふたりだけで過ごした一時限分のエスケープ。

この先、わたしと上原さんの関係が表立って変わるようなことはきっとない。ただ、あのあと教室で目が合ったとき、おたがいにしかわからないような、かすかなほほえみを交わしたりはした。帰りぎわには、ばいばい、と手をふり合ったりもした。そんな些細なことが、わたしの気分をはずませているのだった。

玄関から足を踏みだして、すぐ。

わたしは、びくっと体を揺らした。

体が勝手に硬直してしまう。無意識のうちにあとずさっていたようで、スニーカーのかかとが、どこかの出っぱりにぶつかった。小さくよろめく。

思いがけない人のすがたが、扉の向こう側に広がる眺めの中にあった。

「峯田さん……」

玄関からたいして距離もない門の前で、峯田さんはいままさに、インターフォンを押そうと指を伸ばしているところだった。

その指をゆっくりとおろしていきながら、峯田さんはぺこりと頭をさげた。

「……こんばんは」

シンプルな黒のシャツワンピースを着た峯田さんは、いつもはひとつに引っつめている髪を両肩に垂らして、学校では必ずかけている眼鏡をかけていなかった。だから一瞬、突然の来訪者が誰かわからなくて、余計に動揺してしまったのだった。

玄関の扉を中途半端に開けた状態で立ちつくしていたわたしは、はっとして扉をうしろ手で閉めた。こんばんは、とうわずった声で答えながら、門へと歩みよっていく。

胸の下あたりまでしか高さのない鉄製の門をあいだにはさんで、峯田さんと向かいあった。

「本を……返してもらおうと思って」

峯田さんはささやくようにいって、顔をうつむかせた。

「あっ、うん！　ごめんね、長いあいだずっと借りっぱなしにしちゃって」

わたしはあわててきびすを返すと、家の中にもどろうとした。その途中で、そうだ、あの本を読んだことをまだ伝えていない、と気がついて、足を止める。

「峯田さん……いまさらだけど、あの本、すごくよかった。いっぱい泣いちゃった。本を読んで、あんなに泣いたの、はじめてだった。ありがとう、薦めてくれて」

背中を向けたまま早口にいってから、玄関に向かって駆けだそうとしたところで、

「関口さん！」

大きな声で、呼びとめられた。

このシチュエーションで手痛い経験をしていたわたしは、反射的に、体をこわばらせた。ひと呼吸おいてから、おそるおそるふり返る。

峯田さんは、玄関先のほのかな明かりでもはっきりと見てとれるほど、そのほおを紅潮させていた。瞳を、うるませていた。

「そうでしょう？　ね、素晴らしかったでしょう？　あの本。よかった……関口さん、読んでくれたんだ……」

この人はなにをいってるんだろう、と思った。

あんなひどいことをしたわたしに、峯田さんはいったいなにをいってるんだろう……。

「わたしね、関口さん。あれからいっぱい考えたの。どうして関口さんは、わたしの薦めた本を読んでくれなかったんだろうって。それでね、気がついたんだ。わたし自身が、関口さんの興味を引くような相手じゃないから、だから、そんな人に薦められた本なんか読む気もしなかったんだろうなって。それなのに一方的に怒(おこ)ったりして、なんて恥(は)ずかしいことをしちゃったんだろうって」

待って！

頭の中で叫(さけ)ぶ。

待ってよ、峯田さん。わたしなんかにそんなことをいってはいけない。

わたしはふらついた足取りで、門の前へと引きかえしていった。そのあいだにも、峯田さんの告白はつづいている。

「だからね、わたし、変わろうって思ったの。中学二年生にもなっておしゃれもしないなんてって親にもよくいわれてたから、まずは見た目から変えてみようと思って……どうかな、やっぱりおかしいかな、わたしがこんなふうにしてるの」

「峯田さんっ」

門が、ガシャンッと派手な音を立てた。わたしが飛びついたからだ。

「ちがうの！　峯田さんは悪くないの。わたしが悪いんだよ。峯田さんは悪くない。こんなわたしが、あんな素敵な本を薦めてもらえたり、少しのあいだだけでもいっしょにいられたり、わたしは運がよかったんだって思ってて！」

わたしは必死に、峯田さんの勘違いを正そうとした。だって峯田さんは、本当になにも悪くなんかない。わたしの性格が悪いせいで、一方的にいやな思いをさせられただけなんだから。

「関口さん……」

峯田さんの体が、小刻みに震えだした。わたしのすぐ目の前で、その薄い肩がぶるぶると震えている。

「……わたし、もっと関口さんとお話してみたい。できれば今度こそ、ちゃんと本当の友だちになりたい……」

峯田さんのやわらかなささやき声が、まわりの空気をやさしくくすぐりながら、わたしの耳に届く。

「……いいの？　わたしのこと、許してくれるの？」

峯田さんは、黙って何度もうなずいた。何度も何度もうなずいた。

なんてことだろう。

そんなにすぐには変わらない、と覚悟した途端に、こんなにも急加速で、目に映る風景が変わりだすなんて。

大きく深呼吸をしてから、峯田さんがいう。

「よかった……勇気を出して会いにきてみて……本当に、よかった……」

峯田さんのささやくようにしゃべる声は、なんて耳に心地いいんだろう。心までくすぐられるようだ、とわたしは思った。

◇

この日、わたしはあの坂をのぼらなかった。

すぐには峯田さんと別れがたくなってしまって、朋典のお迎えは急遽、母親にたのんだのだ。

近所の公園に場所を移したわたしと峯田さんは、こんなに話すことがあったのか、というくらい、熱っぽく語りあった。距離を置いていたあいだのすきまを埋めるため、これからの日々を楽しむため、おたがいを早く知ろうと、夢中になって話しつづけた。

自分以外の誰かと、まったく同じ分量でおたがいを求めあうということ。それは、世界のすべてを手に入れたも同然のことだった。

しあわせだった。

ただただしあわせだった。

幸福な時間はあっという間に過ぎて、わたしたちはあしたまた学校で会うことを心から楽しみにしながら、別れた。

わたしは峯田さんを取りもどしたのではなく、新たに出会って、そして、得たのだと思った。これは、真新しい交流のはじまりなんだ、と。

——この日、わたしはあの坂をのぼらなかった。

そして、峯田さんを得た代わりに、あるものを失ってしまった。

正確には、坂をのぼらなかったから失った、というわけではないのだと思う。たまたまわたしがそういう行動を取った同じときに、その悲しいできごとが起きていた、というだけのことだ。

それでも、わたしの中でふたつのできごとはリンクしていて、峯田さんを得た代わりに失ってしまったのかもしれない、という思いを、胸の底にしずめておくことはむずかしかった。

もしも本当に、二者択一で一方を失う仕組みになっていたのだとして、なおかつ失わずに済むほうを自分の意志で選ぶことができていたとしたら、わたしはどちらかを選ぶことができただろうか。

できたはずがない。

わたしには、選べなかった。

それくらい大切なものを、幸福だったこの日のたった数日後に、わたしは失わなければならなかった。

わたしたち

1

いつだったか、久和先生はわたしにきいた。

『オレの右目って、どう?』

まるで新しい髪型の感想でもたずねるような気軽さで、そんなことをいった。

もちろん、義眼になった経緯なんてまだ知らなかったころのことだ。

わたしはすぐにきき返した。どう? っていうのは、どういう意味ですか、と。久和先生は明るく笑って、気持ち悪い? といったので、あわてて首を横にふった。

『それは、ないです。もったいないなあ、とは思いましたけど。初対面のとき』

『もったいない?』

『久和先生、男前だから……』

『うはは、ありがと。褒められちゃった。そうかそうか、男前が全面に出てるあいだなら、気持ち悪くはないってことか。じゃあ当分のあいだは、やっぱりこのままでいようかな』

『このままって？』

『かくさずにさらしとこうかなってこと。色のついた眼鏡でもかけるかなあってちょっと思ったんだけどさ、もうちょっとオッサンになってからにするわ』

生徒の親に義眼のことを指摘されたのだと、久和先生は教えてくれた。

子どもには見慣れないものなのだから、あまり堂々と見せておくのもどうか、といわれたのだそうだ。それで急に心配になって、久和先生はわたしに、義眼の感想を求めたりしたのだった。

なんてことをいうのだろう、と思った。そんなことをいうその親の存在そのもののほうが、よっぽど子どもに見せておいてはいけないものじゃないか、とも。

わたしはほんの一瞬で、会ったこともない、顔も知らないその頭の腐った親を軽蔑した。それなのに久和先生ときたら、自分が受けた屈辱のことなんてまるで頭になく、ましてや塾の評判が落ちるかもしれないという危惧を持つでもなく、本当に子どもたちに悪い影響があるのかどうか、ただその一点だけを気にしていたのだ。久和先生は、そういう人だった。

もうずいぶん前の話だ。

そんな話を急に思いだしたのは、ホワイトボードの前に立ってぼんやりしている久和先生の目が、いままでに見たこともないような光り方をしていたからだった。義眼でないほうの目までが、まるで血の通わない作りもののような光り方をしていた。

ガランとした教室内に残っているのは、久和先生とわたし、それと、奈良くんの三人だけだ。生徒たちは、朋典もふくめた全員が帰ってしまっている。

百瀬さんが二度目の無断欠勤をした、という話を聞かされたわたしは、朋典を同じ方向に帰る子といっしょに帰らせることにして、自分はそのまま《科学と実験の塾》に残ることにしたのだ。百瀬さんが、心配だった。

「前回欠勤した日も、きょうも、自宅に電話しても誰も出ないんだ」

久和先生は抑揚なくいって、背にしていたホワイトボードに向きあった。右手ににぎった文字消しを、ボードの上で大きく左右に動かして、アルコールランプを使った実験の手順を記した図を消していく。

「ふつうに考えて、なにかあったんじゃないか、やっぱり」

生徒たちの使う長テーブルの上を片づけて回っていた奈良くんが、アルコールランプをしまった小さな段ボールの箱を両手いっぱいにかかえて、教室のすみの道具入れに向かって歩きだす。

「寝こんでるのかな」

簡易教卓の上に両ひじをのせてもたれかかっていたわたしは、誰にいうでもないつぶやきをぼそりと漏らした。

「それならそれで連絡くらいはできるだろうし、電話もできないぐらいの状態だったら、いっしょに暮らしてるだんなが連絡してくるんじゃないか」

思いがけず、奈良くんからの応答があった。ぎょっとしながらも、わたしはぎこちなく、首をうしろにひねる。背の低い道具入れの前にかがみこんでいる奈良くんの背中を見やりながら、「じゃあ、なんだろう」というと、今度は久和先生が、それに答えた。

「やっぱりオレ、様子見にいくわ。悪いけど、ふたりのうちどちらか、いっしょにきてくれないかな。オレひとりで自宅を訪ねるのは、ちょっとあれだから」

久和先生のいいたいことは、すぐに理解できた。夕刻をとっくに過ぎた時間帯に久和先生がひとりで百瀬さんの自宅を訪ねるのは、たしかに配慮のない行為だ。

「わたし、いきます」

「オレ、いく」

わたしと奈良くんが声をあげたのは、まったく同時だった。

「うん、よし。それじゃあ、みんなでいこうか」

久和先生はすかさずそういって、パイプ椅子の背もたれにかけてあった、ジッパータイプの黒のパーカを手に取った。

百瀬さんが履歴書に記入していた住所は、まちがいなく存在していた。

古ぼけた郵便受けに、〈百瀬〉という名字が記された名刺大の紙切れがちゃんと張りつけられていたのも確認できている。履歴書に記されていた住所が実在していたことに、わたしたちはなんとなくほっとしながら、傷みの目立つこぢんまりとしたエレベーターに乗りこんだ。

百瀬さんの住むマンションは、本当にわたしの家から近かった。番地でいえばひとつとなりの区域で、あまり階数の多くない古いマンションが集まっているあたりの、中でも際立って年期の入った外装のマンションがそれだった。

エレベーターをおりて、幅のせまい通路を一列になって進む。つきあたった角部屋が百瀬夫婦の住む部屋らしく、先頭に立っていた久和先生の足は、そこで止まった。

「303号室。ここだな」

久和先生は、肩越しにわたしと奈良くんをふり返った。

「えーと、そうだな。佐紀、お前がインターホン押してくれる?」

わたしは黙ってうなずくと、久和先生のとなりにならんだ。音声が返る機械のついていない、スイッチだけのインターホンだった。

久和先生は、のぞき穴から見やすい位置にわたしを押しやると、自分はわきに体をずらした。小さな白いプラスチックの長方形を押す。指先を離すと同時に、ピーンポーン、という音が、くぐもりながら鉄の扉のすきまから漏れきこえてきた。応答はない。もう一度同じ動きをくり返しながら、今度は、百瀬さあん、と声をかけてもみた。

一分ほど間が空いただろうか。ゆっくりと、ドアノブが回った。薄く開いた扉のすき間から、百瀬さんの顔が半分だけのぞく。

「百瀬さ……」

呼びかける途中でわたしは言葉を失い、思わず両手で口もとを覆ってしまった。

百瀬さんのそんな顔は、見たことがなかったからだ。

表情らしいものはいっさいなく、伏せた目にはあきらかに泣きはらした跡があって、かたく引きむすばれたくちびるの色は、まるで死人のような紫色だった。

「百瀬さん、あの……百瀬さん……」

わたしの顔を見てもなんの反応も示してくれない百瀬さんに、わたしはただうろたえた。馬鹿みたいに、百瀬さんの名前を呼ぶことだけをくり返す。すると、事態を察したらしい久和先生が、すっと体をずらして、わたしのすぐ横にならんできた。

「申し訳ありません。いきなりご自宅を訪ねたりしたらご迷惑かとも思ったんですが、心配だったものですから」

それでも百瀬さんは無反応のままだったけれど、ゆっくりと扉が、こちらに向かって押しやられてきた。開いた扉の上のほうを、久和先生が、ぱっと手で押さえる。

百瀬さんは、どうぞ、ともいわずに、背中を向けてしまった。

「……あがらせてもらおう」

ひそめた声でそういうと、久和先生は大きく開きなおした扉の向こうへと、足を踏みいれた。

すぐに奈良くんがそのあとにつづいて、わたしは、呼吸を整えるように大きく深呼吸してから、いちばん最後に、百瀬さんのおうちに入った。

玄関をあがってすぐのところがもう、部屋の中だった。わたしの部屋とほとんど同じぐらいの広さの、家具らしい家具もないさみしい畳の部屋だった。

その空っぽな部屋のまん中に、ぐったりとした様子で百瀬さんが座りこんでいる。

おそるおそる、部屋の中を見まわしてみた。そして、気がついた。黒い無地のワンピースが、畳の上に脱ぎすてられていることに。

喪服だ、とわたしは思った。

その光景を目にしたわたしたちは、それ以上は足を前に進めることができなくなってしまい、ただ立ちつくした。

「……ご不幸が、あったんですか」

久和先生が、ささやくような声で百瀬さんに話しかける。

百瀬さんはわたしたちに背中を向けたまま、まるきりひとりごとのように、ぽつりといった。いつかは、と。

深くて長い深呼吸が、ひとつ、はさまる。

「……いつかは、こういう日がくるんじゃないかとは思っていました」

顔をうつむかせたまま、かすれた声で百瀬さんは話しつづける。

「カイは、小さなころから少し変わった子でした。年ごろを過ぎたあたりからは、目に見えて情緒不安定な状態におちいってしまって、両親ともまともに顔を合わそうとはせず、言葉を交わすのはわたしだけになって……」

百瀬さんはいったい、とわたしは思った。

……百瀬さんはいま、誰のことを話しているの？　だんなさんの話じゃないの？

混乱したわたしは、すぐそばにあった久和先生の横顔を見上げた。その顔には、あからさまな動揺があった。久和先生の体越しに、奈良くんとも目が合う。おたがいにとまどっている、ということだけを確認しあって、それぞれにまた、百瀬さんに視線をもどした。

百瀬さんの、ひとりごとのようなつぶやきはつづく。

「自分で自分の体を傷つけることも、なかなかやめてくれませんでした。わたしがいないと、カイは生きていけない。覚悟を、決めました。わたしが一生、カイの面倒をみようって。ふたりだけで、生きていこうって……。それなのにカイは……カイは、わたしを置いていってしまった……」

百瀬さんは、まるで感情のこもっていない声で、ふふっ、と笑った。

「久和先生……わたし、捨てられてしまいました……これから先、わたしはどうやって生きていけばいいんでしょうねえ……」

捨てられたって、いったい誰に？

百瀬さんはいったい、誰に捨てられてしまったというの？

混乱した頭の奥で、答えらしきものが、チカチカと点滅しはじめていた。

百瀬さんが履歴書に書いた、うそ。

二海子のミを、美しいの美にしてあったのは、なぜ？　二海子と書くのが本当だとしたら、どうしてわざわざそれをかくしたりしたの？

「……ええと、なんだったかな。ああ、そう、わたしはカイに捨てられてしまったっていう話をしていたんですよね。そうなんです、それで、実家に報告をして、葬儀会社に連絡をして葬儀の手配を済ませて……えっと、ああ、そうか、わたし、無断で塾を休んでしまったから、心配してきてくださったんですね……」

うわごとのように、百瀬さんはぶつぶつとしゃべりつづけた。

「次のシフトは、あさってですよね。あさってからは、ちゃんといきます。ご迷惑をおかけしてすみませんでした。もう、だいじょうぶです。全部、済みましたから。カイのためにすることはもう、なにもなくなりましたから」

なにも見ていない目をしたまま、百瀬さんはわたしたちのほうに顔を向けて、くちびるだけでひっそりと笑った。

久和先生も奈良くんもわたしも、それぞれに言葉を失ってしまっていて、誰も百瀬さんに応じられないでいる。

そうしているうちに、百瀬さんが急に、がくん、と首が折れたように顔をうつむかせてしまった。小刻みに震える声を、畳の上に向かって降らせる。

「……本当に、あさってはちゃんといきますから。だから、きょうはもう……お願いだから」

ため息を漏らすような力のこもらない声で、やっと久和先生が答えた。

「必ず、きていただけますか。必ずくると約束してくださったら、帰ります」

うつむいたまま、百瀬さんがうなずく。何度も何度も頭を揺らす。

「わかりました。では、あさって、お待ちしてます」

久和先生の手が、そっとわたしの背中に触れた。いこう、とうながされているのだと気がつくまで、少し間が空く。

その短いあいだに百瀬さんは、うっ、と声をあげて、畳の上に伏せてしまっていた。この場にわたしたちがまだいることを責めるような、すすり泣く声が迫ってくる。いますぐこの場から立ちさること以外に、いまのわたしたちにできることはないのだと思いしらされた。その絶望の深さに、ただただ打ちのめされる。

マンションを出てすぐ、久和先生は、とにかく、といった。

「とにかく、あさって、だ。もし、あさって百瀬さんがこなかったら、オレたちになにかできることはないか、考えてみよう」

わたしの目も奈良くんの目も見ないで、久和先生は空を見つめていた。

星の少ない夜空をそれぞれに映しこんだ、左右の目。

あの左右の目で、久和先生はいったいなにを見定めようとしていたんだろう……。

2

久和家の玄関先に、もう二時間近く座りつづけている。

夕刻をとっくに過ぎた時間にずっと同じ場所に座りつづけていたせいで、さすがに腰が冷えてきた。背中をあずけている扉からも、おしりをおろしているコンクリートからも冷やされて、ほとんど感覚がなくなりかけている。両手を腰のうしろにやって、なでさすってみた。気のせいかもしれないけれど、少しだけあたたまったように感じる。そうして腰をさすっているあいだも、門の向こうにのぞいている坂道からは視線を動かさなかった。

百瀬さんは、まだこない。とっくに《科学と実験の塾》の授業ははじまってしまっていて、終了の時刻もそろそろ近いというのに。

百瀬さんのことはあと回しだ、と久和先生はいって、いつもどおりに授業をはじめた。百瀬さんの代わりは、奈良くんがつとめている。

百瀬さんは、このままこないのだろうか。

あの日、わたしたちをただ追いかえしたいばっかりで口にした、必ずいきますから、だったのかな……。

百瀬さんはあの日、いっしょに暮らしていた部屋からいなくなってしまった人のことを、カイ、と呼んだ。これはわたしのただの推測なのだけど、〈カイ〉という名前に当てられる字は、海、なんじゃないだろうか。海と書いて〈カイ〉。そして、百瀬さんの本当の名前は、二海子。

どんな事情があるのかはわからない。どうしてそんなうそをつかなければならなかったのかも。どんな関係であったにしろ、その人が百瀬さんにとって大切な人だったことには変わりがなく、その大切な人を、百瀬さんは失ってしまったのだ。

いま、わたしが考えなければいけないことは、いまの百瀬さんにしてあげられることはなにか、ということだけだった。それ以外のことは、どうでもよかった。本当に、どうでもよかった。

ひっそりとした時間がつづく。

庭の木々がざわめく音と、甲州街道をいき交っている車が鳴らすクラクション以外は、気になる物音も聞こえてこない。

そろそろ授業が終わるころかな、と思いながら、わたしが腕の時計に目をやったのとほとんど同時に、わあっ、というにぎやかな声が、背にしていた玄関の扉の向こう側からあがった。

授業が終わって、生徒たちがいっせいに玄関に向かって駆けよってきたのだろう。わたしが腰をあげたのと入れかわるように、玄関の扉がいきおいよく押しひらかれた。

まっ先に飛びだしてきたのは、朋典だ。朋典はわたしの顔を見るなり、叫ぶようにいった。

「姉ちゃんっ、オレ、きょうもヒデといっしょに帰るけど、いい？」

ヒデというのは、前回の塾の帰りに、朋典といっしょに帰ってもらうようにお願いした子で、それ以来、急速にふたりは仲がよくなっていた。

「いいけど、寄り道しないで帰るんだよ。あと、お母さんに、姉ちゃんは少し遅くなるけど、久和先生たちといっしょだからっていっといて」

機嫌よく、「了解っ」と答えるなり、朋典はいちばん手前の飛び石に飛びのっていた。あとから出てきたヒデくんに、早くこいよお、と手招きしている。

わたしのすぐ横を、ぺこっと頭をさげながら小柄なヒデくんが駆けぬけていくと、そのあとにも、玄関から飛びだしてきた塾生たちが次から次へとつづいた。

あたりが静まるのを待ってから、開けはなたれたままの扉のほうに体を向ける。弱々しい蛍光灯の光の下に、久和先生が立っていた。

「まだこない？」

わたしが黙ってうなずくと、久和先生のうしろから、奈良くんがすがたを見せた。

「もう、こないんかな……」

ぼそりとつぶやいた奈良くんの顔には、約束をやぶられてしまったかもしれないことへの失望でもなく、怒りでもなく、ただ、さみしい、という思いばかりが張りついているようだった。

そんな奈良くんを目にしていることに耐えられなくなったわたしは、顔をうつむかせながら、そっと目を伏せた。

目を伏せた途端に、奈良くんの、「あっ」といっただけの、でも、わたしの背後に起きたなにかを知らせるには充分な声が、耳をかすめていった。はじかれたようにうしろをふり返ると、飛び石が点々とつづく庭の果ての、大きく開かれた門の前に、百瀬さんのすがたがあった。喪服ではないけれど、装飾のない黒一色のワンピースすがただ。強く吹いた風に、長いすそが、ゆらりと揺れる。

「百瀬さんっ」

叫んだときには、わたしはもう走りだしていて、百瀬さんも門のこちら側へと歩きだしていて、わたしたちが向かいあったのは、庭のちょうどまん中あたりだった。

百瀬さんを目の前にしたわたしのすぐ横に、奈良くんもならんでくる。久和先生は、わたしたちよりも少しうしろに足を止めたようだった。

「百瀬さん……」

やっぱり百瀬さんの顔にはいつものような明るい表情はなくて、くちびるの色もないような顔色だったけれど、それでも、その目はちゃんとわたしを見てくれていた。

なにも見ていない目では、もうなかった。

「おとといは、本当にごめんなさい。せっかくきてくれたのに、あんなふうにしかお迎えできなくて……」

わたしはただ、めちゃくちゃに首を横にふった。そんなのはどうだっていい、と口でいう代わりに、ぶんぶんとふった。

すぐ横にいた奈良くんが、妙にあらたまった口ぶりでいう。

「いろいろ大変だったと思いますけど、とにかく、きてくれてよかったです」

いつにない様子がおかしかったのか、百瀬さんはくちびるの両はしをそっとあげた。

「……いいのよ、比佐弥くん。いつものとおりで」

わたしはもう平気だから、とつづけた百瀬さんが最後までいい終わらないうちに、奈良くんは、びっくりするほど大きな声を、庭いっぱいに響かせた。

「いつもどおりになんか、できるわけないやろ！」

百瀬さんのもとから大きな目が、さらに大きく見開かれている。

奈良くんは、ほんの少しもためらうことなく、思いのままを吐きだしつづけた。

「百瀬さんはどうか知らんけど、オレは百瀬さんのことをもう、ただの赤の他人とは思うとらんのやから。悲しい思いをしとるのがわかっとるくせに、知らんふりして笑ったりはできへんのや！」

力なくほほえんでいた百瀬さんのくちびるが、震えながら、ほんの少しだけ開いた。

頭のうしろから、おだやかに話しだした久和先生の声が降ってくる。

「この激情はいま、あなたのためのものなんですよ、百瀬さん。……信じられます？　なんの見返りを求めることもない、こんなかけがえのないものが、いま、あなたに捧げられているんですよ？」

久和先生もまた、静かに、とても静かに、その激情を百瀬さんに捧げていた。

「……本当ならね、自分以外の誰（だれ）かに捧げられてしまうのを見るのは、ちょっとしんどいんです。オレ以外の大人なんか、汚物（おぶつ）みたいなもんだって思ってるような子ですから。オレは案外、独占欲（どくせんよく）の強い男なんです。でも、あなたのためなら見届けますよ。オレの甥（おい）っこが、ほかの誰かにそのかけがえのないものを捧げるそのすがたを、この目でちゃんと見届けます」

百瀬さんの顔が、透明（とうめい）だったその顔が、見る見るうちにゆがみ出す。

それは、あまりにもみっともない泣き方だった。顔中にしわが寄り、鼻水は垂れ、開いたままの口からは、獣（けもの）の咆哮（ほうこう）のような泣き声が吐きだされている。

わたしは思った。これが、生きるということだ、と。

いま、わたしの目の前にあるこの〈さま〉こそが、生きているということの、形ある状態だ。

なんて惨（みじ）めで、なんて底がなく、なんて救いがなく、そして、なんて美しいものなんだろう。

涙（なみだ）の膜（まく）にじゃまされながらも、わたしは必死に目を見開きつづけた。

百瀬さんの命が激しく揺（ゆ）らぐさまを、一瞬（いっしゅん）たりとも見逃（みのが）さないように。

最初に百瀬さんは、履歴書（りれきしょ）に書いたうそを、久和先生にあやまった。

亡くなったのは、やっぱり百瀬さんの実の弟さんだったそうだ。

自分の名前を偽って書いたのは、わたしが推察したとおり、同じ〈海〉という漢字が使われている本名のままだと、夫婦ではなく、兄弟なのではないかと疑われてしまうかもしれない、と思ったからだと、百瀬さんは説明した。

夫婦として履歴書に氏名を記載していた理由については、こう話している。

——わたしは一生、弟の面倒をみながら生きていく覚悟を決めました。結婚もしない。できるはずもない。だったら、新しく暮らす街には夫婦として引っ越そう。そのほうが恥ずかしくないって、そう思ってしまったんです。思うようにならない人生を生きていることを、新しく関わる人たちには知られたくなかった。しあわせな人生を生きている〈百瀬二美子〉として、新しい暮らしを送ってみたくなったんです。ひどい姉でしょう？　あの子と生きている人生を、恥じたんです……。

久和先生は、百瀬さんの告白を黙って聞いていた。うなずくこともしないで、ただ、じっと。

わたしは何度も、そんなことない、そんなことないです、と首を横にふった。

百瀬さんはひどいお姉さんなんかじゃない。一生そばにいるって決めて、最後までいっしょにいてあげたんだものって。

奈良くんも、そんなふうに思ったらあかん、とつぶやいたり、小さく首をふったりしながら、百瀬さんの話を聞いていた。

「ありがとう、ごめんね」

百瀬さんは、わたしと奈良くんを順番に見て、それぞれにそういった。『ごめんね』はきっと、『こんな話を聞かせちゃってごめんね』の『ごめんね』だ。

すっかりいつもの百瀬さんだった。自分のことよりも相手のことを考えてしまう、いつもの百瀬さん。

ふう、と大きく深呼吸をして、ひと区切りつけた様子になった百瀬さんは、今後の身のふり方についても話してくれた。むかしから漠然と頭にあった、発展途上国の子どもたちのために働いてみたいという思いを、現実の行動に起こしてみようかと思っているのだそうだ。

そのために、《科学と実験の塾》でのアルバイトはきょうで終わらせてほしい、という百瀬さんを、どんな理由でなら引きとめることができたんだろう。

百瀬さんのいた《科学と実験の塾》は、きょうでおしまい。

その現実をまだちゃんと受けとめきれていないうちに、お別れのときがきてしまった。

わたしたちに見送られながら、百瀬さんが門に向かって歩いていく。

「いままでお世話になりました」

門の前でふり返った百瀬さんは、深々と頭をさげた。顔をあげて、わたしたち全員の顔をしっかりと見て、それから、ゆっくりとまた、背中を向けなおす。黒いワンピースすがたの、きゃしゃなうしろすがたが、わたしたちから離れていこうとしていた。

やさしくて、さみしくて、とてもきれいな背中だと思った。もう誰のものでもない、百瀬さんだけの背中だと。

その背中に向かって、最後の最後に、久和先生が叫ぶようにいった。

「オレはこまりませんよ、百瀬さん！」

それは、いつか冗談まじりに交わした会話の中で、ただ一度、久和先生がはっきりと自分の思いを告げたフレーズだった。

もしもだんなさまに捨てられてしまったら――。

そういいかけてやめた百瀬さんへ、自分はこういう気持ちでいるから、と。ただそれだけを告げた、あまりにやさしい久和先生なりのプロポーズ。

百瀬さんは、あー、とうめくような声を小さく漏らしたあと、あざやかな笑顔を久和先生に向けて、唄うようにいった。

「大好きです、久和先生！　それだけで、生きていってもいいですか？　ずっとずっとこの気持ちを持ったまま生きていくことを、許していただけますか？」

久和先生は、長いような短いような間を置いてから、答えた。

「それが、あなたの望むことなら！」

そうして、わたしたちは百瀬さんと別れた。

3

――い、せんせい、関口先生……。

「関口先生っ！」

いきなり耳のすぐそばで叫ばれた自分の名前に、わたしは、悲鳴をあげるほど驚いてしまった。

顔を横に向けると、吉井先生の顔がすぐそばにあって、二度、驚いた。

やんちゃで陽気なサッカー少年がそのまま大人になったような吉井先生が、めずらしく眉根を寄せて、深刻な表情をしている。

「だいじょうぶですか？　受話器をにぎったまま、ぴくりとも動かなくなっちゃったから」

受話器、という言葉に、わたしはやっと、自分がまだ奈良比佐弥との電話中だったことを思いだす。

「すみません、吉井先生。もう、だいじょうぶですから」

いったん口もとから遠ざけた受話器を手のひらで軽く押さえながら、わたしは口早にいった。心配そうな顔をしたまま、吉井先生がわたしのデスクから離れていく。その背中が通路の向こう側まで移動していくのを見届けてから、わたしはようやく受話器にくちびるを寄せて、もしもし、といった。

「……だいじょうぶ？」

中学生の奈良くんではない、大人になった奈良くん――わたしと同じく、中学校の教師をしている――の声が聞こえてくる。

わたしは、ふう、と大きく息を吸ってから、思いきり吐きだした。

「ごめんなさい、なんだかまだ、ちゃんと受けとめられてなくて……」

「うん、そうだと思う。オレも、大変だったから」

そうだ。

わたしなんかより、奈良くんのほうがずっとショックだったにちがいない。奈良くんにとっての久和先生は、ごく身近な肉親でもあったのだから。

――百瀬さんと別れたあの日。

あの日からあとのことは、まるで早送りの映像のようにしか思いだすことができない。

百瀬さんが塾を去って間もなく、奈良くんのお母さんは、千葉でアパレル業を営んでいる知人のもとで働くため、千葉への転居を決めた。それに伴って久和先生も、《科学と実験の塾》をたたんで、奈良親子とともに千葉へと移ってしまうことになったのだ。くわしいことは知らされなかったけれど、そうしなければいけない事情があったのだと思う。

百瀬さんと別れた日から一カ月も経たないあいだに訪れた、突然のできごとだった。

心の準備も整わないうちに、久和先生と奈良くんまでいなくなってしまうことになって、わたしはひどく動揺した。

通っていた生徒たちも、その保護者たちも、《科学と実験の塾》の閉鎖を惜しんだけれど、最後の授業の日はあっさりとやってきて、玄関先でいつもわたしたちを出迎えてくれていた赤ちょうちんは、その日のうちに取りはずされてしまった。

早送りのように流れていったあのあわただしい日々の中で、わたしが唯一、はっきりと覚えている場面がある。取りはずした赤ちょうちんを、久和先生と奈良くん、そして、わたしの三人で、庭のまん中で燃やしたのだ。

燃やしているあいだ、久和先生と奈良くんが交わしていた言葉のひとつひとつを、いまでも思いだせる。

久和先生はいった。

『本当はこの家、おまえに残してやるつもりだったんだけどなあ』

『アホか。寿お兄のもんは、寿お兄の子どものもんやろが』

『ああ、そうか。そうだよな。オレもそのうち結婚して、子どもができて……そうかそうか、おまえと姉ちゃんのほかにも、大切にしなくちゃいけないもんができる可能性もあるわけか』

『当たり前や。寿お兄には、寿お兄の家族ができる。そういうもんやろ？』

『そういうもんかねえ。オレ、おまえと姉ちゃんだけでいいけどなあ』

『寿お兄は、すぐそうやってきしょいこというし』

わたしには久和先生が、奈良くんと奈良くんのお母さんのほかには、もうなにもなくなってしまった、といっているように聞こえた。百瀬さんもいなくなって、《科学と実験の塾》もなくなってしまったから、自分にはもう……って。

パチパチと音を立てて燃えていく赤ちょうちんを見つめながら、わたしは静かに泣いた。

『えっ？　佐紀（さき）？　わっ、ちょっと、なんでおまえが泣いてるんだよ』

　気がついた久和先生が、本当にあわてた様子でわたしの顔をのぞきこんできたときの表情は、いまでも忘れられない。奈良くんと同じくらいの歳（とし）の男の子に見えたのだ、その顔が。

　わたしの知らないむかしの久和先生に、ほんの一瞬（いっしゅん）だけ、会えたような気がした。まだ、右目が義眼じゃなかったころの久和先生に。

　それから一週間ほどして奈良くんたちは引っ越（こ）していってしまって、しばらくすると、あの坂の上の一軒家（いっけんや）は売りに出された。

　ずいぶんあとになってから、あれは、奈良くんのお父さんが作ったという借金のためだったのかもしれないな、と思ったことがある。奈良くんのお母さんと奈良くんに、火の粉がかからないようにと。それ以外の理由で、久和先生があの家を手放してしまう理由があるとは思えなかった。

　心のよりどころだった《科学と実験の塾》の喪失（そうしつ）に、わたしはひどく気持ちを揺（ゆ）らしたけれど、それでも当時は、奈良くんと久和先生が離（はな）れ離れになってしまわなかったことのほうに安堵（あんど）していたような気がする。

　たとえ自分はふたりと離れてしまってもいい、あの坂をもう二度とのぼることができなくなってもいいから、ふたりには離れずにいてほしかった。

千葉に移ってからの久和先生とは、何度か手紙の往来があったけれど、じきにわたしは受験で忙しくなって、いつしか音信は途絶えてしまっていた。気がついたときには、連絡の取りようもないほどに時間が経っていたのだ。

あれから二十三年もの歳月が流れたいまになって、久和先生のその後を知ることになるなんて……。

「久和先生、ご結婚は？」

なんの気なしに口にしたわたしの問いかけに、奈良くんは少しだけ口ごもった。

「奈良くん？」

「……どうか、哀れんだりはしないでやってほしいんだけど、あの人は、独身を通したよ。多分……多分だけど、百瀬さん以外の女の人に、気持ちを寄せることができなかったんだと思う」

うっ、とうめいて、わたしはしばらくのあいだ、嗚咽を漏らしつづけた。奈良くんは、黙って待ってくれている。

「本当に……ごめんなさい。とり乱してばかりで。そう……久和先生、お独りだったんですか」

「実をいうとね、あの人がオレたち親子といっしょに暮らしてたのって、千葉に越してからほんの一年くらいのあいだで、あとはずっと離れてたんだよね。だからオレも、あの人と最後に会ったのは、二十年以上も前のことになるんだ」

「そんな……」

もう何度目になるかわからない衝撃に、とうとうわたしは、その場にへたりこみそうになってしまった。かろうじて、すぐ横にあった自分の椅子に腰をおろす。

「うちの母親の口から、再婚するかもしれないって話が出はじめたころだったかなあ。ある日ふいっと、ちょっと出かけてくるって感じで家を出て、それきり帰らなくてね」

そうだったの、と答えようとして口を開きかけたちょうどそのとき、頭の中に、ふとある考えがひらめいた。もしかして、とひとりごとのようにつぶやいてから、ねえ、と奈良くんを呼ぶ。

「もしかして久和先生、百瀬さんを追いかけていったんじゃないのかな」

不意に訪れたひらめきに、わたしは興奮していた。

きっとそうだ。奈良くんのお母さんに再婚の話が持ちあがったことで、これでもうこの親子はだいじょうぶだって久和先生は思って、だから、家を出て百瀬さんを――。

「ね、きっとそうだよ」

奈良くんは、受話器の向こうでまた少しためらうような気配を漂わせてから、答えた。

「それは、ないと思う」

「……どうして?」

「パスポートがね、うちに残ったままだったんだ」

「じゃあ、国外には……」

「出てないと思う。少なくとも、うちを出た直後には。これはあとになって思ったことなんだけど、わざわざパスポートをうちに残していったのは、自分は百瀬さんを追いかけるためにこの家を出るんじゃないってことを、オレに伝えるためだったんじゃないのかなって」

わたしは、たったいま自分が考えてしまったことを、激しく後悔した。

もしかしたら久和先生は、百瀬さんを追いかけていったのかもしれない、だなんて。

ちょっと考えたらわかることだ。そんなことを、久和先生がするわけがない。だって、わたしたちといっしょに《科学と実験の塾》の庭で別れたあの日に、久和先生と百瀬さんの時間は止まっているのだから。

止まったまま、ふたりの時間は永遠になった。

もう二度と動きださないことは、ほかの誰よりも久和先生自身が知っていたはずだ。だから、百瀬さんを追いかけていくなんてこと、久和先生がするわけなかった。

わたしの後悔を察したのか、奈良くんはやわらかな口調で、オレもね、といった。

「そうだったらいいのにって思ったよ。あの人がいなくなったとき……そう思った」

嗚咽をこらえた声で、わたしはただ、うん、と答えることしかできなかった。

——百瀬さんからは、ただの一度も連絡をもらったことはない。

いつかどこかの発展途上国から絵葉書くらいはくれるかもしれない、という淡い期待を抱いていた時期もあったけれど、早い段階で、わたしは察した。ああ、そうか、百瀬さんはもう二度と、自分の人生とわたしたちの人生を交える気はないんだな、と。

そうしなければ、きちんと生きなおすことができなかったんだと思う。

すべてを捨てて、なにもかもを断ちきって、真新しい道を進んでいく以外には、生きていく術がなかった。いまならわかる。百瀬さんの気持ちが。

百瀬さんがいま、どこでなにをしているのかは知らない。

だけど、わたしは信じている。誰かの助けが必要な暮らしをしている人たちにかこまれて、いつかのように明るく屈託なく笑っている百瀬さんのいまを。

突然、ふ、と息を漏らすようにして奈良くんが笑った。

「何年かは、叔父のことを憎んだりもしたなあ。捨てられたような気がしてね」

当時の奈良くんの葛藤が、あまりにも鮮明に想像できてしまって、うん、とあいづちを打つことすらできない。

そんなわたしを気遣ったのか、奈良くんは少しだけ声音を明るくしてから、つづけた。

「千葉に引っ越してからは、またバスケはじめて、毎日練習浸けで、家には寝に帰るだけ、みたいな生活してたくせに、なんでオレを置いていなくなったりするんだって」

そんな奈良くんを見ていた久和先生は、この子はもうだいじょうぶだって思ったのかもしれない。大人になるまでそばにいて、と泣きながら自分にすがりついていたころの甥っこは、もういないって。

「結局、家を出てからはどこに住んで、なにをして暮らしていたのかもわからないままなんだけど、あの人はあの人なりに人生を模索しつづけたんだろうなって、それだけはなんとなくわかる気がして。だから、離れていたあいだのことは、もういいんだ。いまさら知りたいとは思わない」

やっとしぼり出すことができた声で、そうだね、とわたしは応じる。

「……きっと久和先生は、久和先生なりの人生を送ってたって、わたしも思う」

それからわたしたちは、おたがいに少し黙ってしまったあと、そういえば、とまったく同じセリフを、ほとんど同時に口にした。

お先にどうぞ、と奈良くんがいう。

じゃあ、と笑いをふくんだ声で応じてから、わたしは話しはじめた。

「奈良くん、覚えてるかな？　峯田絢子って、同じクラスだったんだけど」

「ごめん、名前は聞きおぼえがあるような気はするんだけど、顔まではちょっと……」

「ううん、仕方ないよ。奈良くん、転入してきて半年足らずでまた転校してっちゃったんだから」

「まあ、それはそうなんだけど。で、その峯田さんが？」

「うん、その峯田絢子って子がね、おととし、純文学の賞を取って作家になったの」

「ああ、峯田絢子！　なんか聞きおぼえがあると思ったら、『甘味日記』の人だ」

「そうそう、『甘味日記』の峯田絢子。大学の事務のアルバイトをしながら、こつこつとがんばってきて、おととしやっと賞を取ったんだけど、本が出た途端に売れっ子作家さんになっちゃって」

「へえ、あのクラスでいっしょだった人なのか。関口さん、仲よかったんだ。中学出てからもずっと？」

「ええ、ずっと。いちばんの親友。はじめてわたしを佐紀って呼んでくれた友だちなの」

あ、と小さく声を漏らして、奈良くんが黙る。

「奈良くん？　どうかした？」

「あのさ……〈さき〉っていえば、もうひとり、いたよね」

「ああ、上原沙希のことね。沙希はね、ふたりの男の子のお母さん。上の子は今年で二十歳、下の子は五つ違（ちが）いの十五歳（さい）だから、来年からは高校生」
奈良（なら）くんはわたしの耳もとで、どきん、と心臓が跳（は）ねあがりそうなほど大きな声で、ええーっ、と叫（さけ）んだ。

「はっ、はたちぃ？　マジでえ？　二十歳（はたち）て！　ホンマにぃ？」

わたしはくすくすと笑いながら、ええ、ホンマです、と返した。

「最初の子は十七で産んでるから。相手の人は、高校時代の担任なの」

たまたま同じ高校に進んだわたしと上原沙希（うえはらさき）は、それまで友だちじゃなかったのがうそのように、高校の三年間は常に行動をともにしていた。いまでも、ときには峯田絢子（みねたあやこ）も交（まじ）えておたがいの家をたずねあう仲だ。

当時はまだ、学校の先生と生徒が卒業後に結婚（けっこん）することが、それほどめずらしいことではない時代だった。いまとは少し、時代の空気がちがっていたころの話だ。

ウソや、ホンマかいな、とつぶやいている奈良くんに、意地悪してみた。

「ちょっとがっかりした？　お母さんになっちゃってて」

「いや、がっかりっちゅうか……お子さんが二十歳ってのにびっくりしたわ。オレのまわりで同じ歳（とし）のやつなんかは、まだちっさい子ぉしかおらんのが多いし」

「ふふっ、奈良くん、気がついてる？　さっきから関西弁出てるよ」

「あっ、ホンマ……本当だ」

「いまさらいい直したって遅いよ。いいじゃない、関西弁で話してよ」

「ははっ、いやあ……しっかし、驚いたなあ。あの上原さんが学校の先生と結婚して、いまや二十歳と十五歳の男の子のお母さんになってるなんて」

「それだけ長い時間が過ぎたってことだよ」

「そういうことやね」

これまでで、いちばん長い沈黙がつづく。

今度こそ本当に、わたしたちは話すべきことを失ってしまった。

じゃあ、そろそろ、とどちらからともなく切りだす。

「奈良くん、知らせてくれてありがとう。久和先生のこと」

「関口さんこそ、あの人のこと、心のどこかに置いといてくれてありがとう」

「忘れられるわけがないよ。だってわたし、あのころのことがなかったら、いままでの生き方では生きてこられなかったと思うもの」

「ああ、本当に……オレも、そうやったと思う。あのころのこと全部が、いまのオレを作っとるから。あのころのことがなかったら、途方に暮れてたやろなあ、いまごろ」

「よかったね、わたしたち」

「ホンマにね」

　かけがえのない出会いがあって、その出会いによって導かれた経験を持つからこそ、わたしも奈良くんも、人を導く立場にある教師という職に就いているのかもしれなかった。

　そして、わたしがこれから進もうとしている新たな道も、やっぱりあのころの日々があったからこそ、見つけることができたもののひとつだ。

　じゃあ、とおたがいにいいあったあと、わたしたちをひとときつないでくれていた回線は、あっけなく切れた。

　電話を切ってしまってから、あ、と気がつく。そういえば奈良くん、上原沙希のいまはたずねたくせに、わたしのことはなにもきいてくれなかった、と。あらためて、わたしは当時の奈良くんの視界には入っていなかったんだなあ、と思いしらされて、小さく笑った。

　机の上にもどしてしまっていた鞄を肩にかけ直して、椅子から立ちあがる。自分の席にもどっていた吉井先生が、まだ少し心配そうな様子で、声をかけてきた。

「つないじゃってだいじょうぶでした？　電話。もしかして、話したくない相手だったりとか」

わたしがかなり激しく動揺しながら通話をしていたすがたを見て、責任を感じているようだ。吉井先生を安心させるために、わたしは首を横にふった。

「中学時代の同級生でした。恩師の訃報を、知らせてくれたんです」

「あ、そうでしたか……それは、ご愁傷さまです」

吉井先生の声が、わかりやすく、ほっとしているのがわかる。それほど、わたしのうろたえっぷりが尋常ではなかったということなのだろう。

「担任だった先生ですか？」

「いえ、塾の先生です」

「ああ、じゃあ、さっきの電話の人は、同じ塾に通っていた塾仲間？」

どう答えよう、と少し考えこんでしまった。

正確に説明しようとすると、わたしも奈良くんも、《実験と科学の塾》の生徒だったわけではないし、もっと正確にいえば、久和先生はわたしの弟の先生であって、わたしにとっては先生ですらなかった。すでに吉井先生には、恩師、といってしまってはいたけれど。

ふと、思いついた。

これなら、と思える説明を。

「同志なんです、彼は」

「同志、ですか？」

「ええ。しんどい時代を、ともに戦った同志のひとりです」

たしかにあの時期、わたしたちは同じ地図の上にいた。

青春という名の〈帝国〉で、ともに戦った同志だ。奈良くんも、久和先生も、百瀬さんも、みんな。

だから、わたしたちはいつまでも、ともにありつづける。たとえ死によって引きさかれても、距離によって離れ離れになっていても、常にともにありつづける。

「へえ、なんかいいですね、同志って」

わたしは、にこっと笑ってうなずいた。

「はい、とっても」

今度こそ自分の席を離れて歩きだしたわたしに向かって、思いだしたように吉井先生がいう。

「そういえば、関口先生の送別会って、もうあさってなんですよね」

「あ、はい、そうですね。なんかすみません、わざわざ送別会なんて開いてもらってしまって」

「なにいってるんですか。するに決まってるじゃないですか」

「同期のよしみですね、ふふ……ありがとうございます」

「さみしくなるなあ、関口先生がうちの学校からいなくなっちゃうなんて。出発は、いつなんですか？」

「来月の二十日です」

「二十日……は平日かあ。見送り、いけないじゃないっすか」

吉井先生が、本当にわたしの退職を惜しんでくれているのが伝わってきて、またちょっと涙腺がゆるみそうになってしまう。

たしかに〈ここ〉は、わたしの居場所だった。

教師として過ごしてきた十五年あまりの年月を、こんなに誇らしく、いとおしく感じながら、新しい日々に踏みだしていけるなんて、と思う。

いつからか、強く願うようになっていた。受けるべき教育を受けられずにいる子どもたちのために、なにかできることはないかと。

わたしは今月いっぱいで教師を辞めて、日本から遠く離れた国の子どもたちのもとへいく。いまのわたしが見たい景色は、そこにしかない、と気づいてしまったからだ。

歩きつづけさえすれば、自分が見たいと望む景色を見ることはできる。わたしはそうやって、見たい景色をいくつも見てきた。

あの坂を、わたしはもうのぼることはできない。もう二度と、のぼることはできない。それでも、歩きつづけることをやめたりはしない。

ふと顔を横に向けると、ほんの数分のあいだに日は完全に沈み、窓は黒く塗りつぶされたようになっていた。職員室を背にしたわたしの顔が、まっ黒な窓に映りこんでいる。半透明の自分の顔のその向こうに、なつかしい光景がよみがえってきた。

坂の上の、古ぼけた一軒家。

薄く残る、麺処・春眠亭の文字の上から、のたくるような筆遣いで、科学と実験の塾、と書かれていた大きな赤いちょうちん。まだ幼かった朋典が、クワチン先生さよーならーと叫ぶ明るい声。乱雑に脱ぎちらかされた小学生サイズのスニーカーたち。足跡だらけの飛び石。

あのころのわたしのすべてが、あそこにあった。

無愛想な表情のまま、浅く会釈する奈良くんの横顔。

佐紀！　と陽気にわたしを呼ぶ久和先生と、そのとなりで、にこにこと笑っていた百瀬さん。

小さな小さな声で、わたしはそっと呼んでみた。

「久和先生……」

永遠の、わたしたちの同志の名前を。